雪と人生

郎

角川文庫
22976

雪と人生

目次

九谷焼 7
御殿の生活 21
真夏の日本海 35
北海道の夏 45
荒野の冬 51
雪を作る話 61
雪雑記 69
雑魚図譜 89

墨　色……105
語呂の論理……115
雷　獣……123
ツンドラへの旅……131
永久凍土地帯……149
天地創造の話……171
千里眼その他……189
立春の卵……213

簪を挿した蛇　231
解説　佐倉　統　247

九谷焼

震災で失ったものの中で、このごろになって、惜しいと思い出したものは九谷焼である。父が心がけて集めたもので、古い時代のいわゆる古九谷と呼ばれている高価な品ではないのだが、現今大量生産でどんどん造り出している今の九谷焼と、古い時代の「真正の九谷焼」との連絡を見るために、ちょうど都合のよい標本であったことと、自分には父をしのぶよすがとなる品であったので、時がたつにつれてしみじみ惜しくなってくる。

加賀の人でも、このごろではあまり知っている人が少いくらいだから、東京の人などには、「真正の九谷焼」はあまり知られていないようだ。一皿数千円もするというような骨董としての九谷と、夜店で売っている九谷とが、今の東京の人に知られているので、ちょうどその連絡をなし、現今なお古い神聖な九谷焼を護っている少数の人々のことはほとんど知られていない。

沿革などというといかにも骨董家めくので、ごく簡単に書くと、日本で芸術品としての陶器ができだしたころ、伊万里焼をならって後藤才次郎という人が、九谷村で適当な粘土を得て造り出したのが九谷焼の起りで、前田家治卿がパトロンとなってあれだけに発達したものなのである。そのころは、今のように焦躁の生活をしなくてもよかったので、数代も名工の後裔が、殿様の庇護の下で研究を続けて、一つのかまを完成したのである。

九州の話だが、柿右衛門という人などは、熟柿が枝に下っているのを見て、その色を出そうとして、生涯を費してできず、その子がこれをついでなかば完成し、三代目に至ってようやくでき上ったという話があるくらいである。今の骨董家が、初代の柿右衛門などといって愛蔵しているが、よく考えて見ると、三代目柿右衛門が認められるまで、貧しい陶器工の家だったはずだが、祖父の試験的出来上り品を、今残っているほど多く、三代のあいだしまってあったかどうか随分変な話である。売ってしまったとすると、貧しい無名の陶工のつまらぬ器物が、五十年間も破損せずに使用されていて、三代目柿右衛門の出て後、これは初代だといって急に珍重されたことになる。

＊

初めて事をなす人の苦心が、九谷焼の場合にもよくあらわれている。九谷という村は、加賀の山中という温泉から、六七里ばかりも渓流に沿って上った所にある山間の僻地で、今でもよほどの物好きでないと行けぬくらいの山奥である。今は一村五十戸くらいの小さい村で、炭焼を生活として、九谷焼とは何の関係もなく、訪れる人とても、毎夏数人の登山者が過ぎるくらいの程度であろう。徳川初期の時代に、こんな所へ来て初めて、求める粘土を見出した人の隠れた努力には、しみじみ感ぜさせられる。近年この村がほとんど全焼したことがある。その時東京の新聞などでは、九谷焼の窯元が全滅した、当分九谷焼を産出することはできぬだろうなどと書いていた。

この渓流の下流の所に、山代という温泉と大聖寺という人口一万ばかりの町がある。この二つが古い九谷焼の面影の幾分残っている産地なのである。私の故郷はこのすぐ近くである。

明治維新のころ、奈良の五重塔が五十円で入札に付されたころ、九谷焼も同じような悲運に会って、ほとんど一時全滅していた。古い九谷焼は、この時において事実上跡絶えたわけである。それが、明治二十年ごろからか、ぼつぼつ大聖寺山代およびその付近の村などに窯を築く人ができてきて、こんな目立たぬ所に、九谷焼の復活の曙光が見えてきたのである。その人々の中でも特にルネッサンス的気分の濃い人たちが集って、九谷の村から粘土をとり寄せて熱心に旗上げをしたのであるが、あまり辺鄙な所で、運搬の費用に耐えられなくて直ぐ失敗に終った。しかしこの時、真面目に造り出したもので、今は真正の古九谷として、東京や大阪の富豪の蔵におさまっているものが案外多いとのことである。このことはあまり知られていないことである。

それからいろいろの所の土を用いて、絵だけは昔の様を継いできていたのであるが、このごろでは、尾張(おわり)などから生地を取りよせて、絵だけをつけることにしている人も多いらしい。

父が生きていたら、憤慨することだろう。

私が小学校へはいったころから、四里(より)ばかり離れた隣郡に寺井(てらい)という町があって、そこに陶器の会社ができた。そこでは、九谷を日用品として造り始めた。大量生産で「機械をすえ」つけて、製品としてどんどん売り出したのである。これが案外販路がひらけて、四五年の後には、この方が九谷焼としてより多く認められるようになってきた。しかしこれを老人たちは寺井焼といって、九谷焼とは称せなかった。この特徴は、手にさわると、ぼつぼつするように絵の具を盛りあげて、こってりと花などを一面に書き埋めてあるもので、よく湯呑(ゆのみ)の内部などに細い字が一杯書いてある。私たちが見ても俗悪だと感ずるくらいだから、老人たちの気に入るはずはない。生地からいっても絵からいっても、今までのどの九谷の窯とも似もつかず縁故も見出せぬものであるから、無理もないのである。もちろんこの会社はますます発展して、今東京や金沢の陶器店でさえ、ほとんど全部がこの種に属するもので、今では立派な九谷焼の代表者となっているようである。わずか十五年くらいの間である。分業とか機械作業とかいうものの、有効なる実証であるなどという人があるかもしれない。

何に感じたのか知らぬが、私が小学校へはいるころから、父は急に、こんなことでは真正の九谷焼が滅亡してしまうといい出して、当時大聖寺町に残っていた年とった画工たちと交際したり、型のように古い陶器を集めたりしていた。私の家は別に陶器屋ではないので、父は家業のひまに、どこから取って来たかいろいろの白い粘土を、火鉢の火の中に入れて見て「この色が変らなくて、嵩の減らない粘土がよいのだ」などといっていたことがあった。随分プレリミナリーな実験である。とうとう六年のときの春休みに帰った時、窯をつくるんだと言って、庭の物置の隅に高さ五尺くらいの窯が造ってあった。簡単に粘土に壁土くらいでつくったものらしかった。乾くと、すぐ罅がはいった。父は夕方になると、その前に立って、丁寧にその罅を塗りつぶしていた。するとまたすぐ罅がはいった。そして私が夏の休みに帰った時も、まだ根気よく毎日塗りつぶしていた。しかし、とうとうその秋には、窯の方で根気負けをして、太陽がかんかん照りつけても、ちっとも罅がいらぬようになった。しかしその冬から父は病気になって、四月に死んだ。父くらい着手の億劫を感ぜなくて、そして根気がよかったら、物理の実験などは、どんどんはかどることだろうと考えることもある。

私は小学校へはいるために、八つの春、大聖寺町の浅井一毫という陶工の家に預けられた。そのころ七十いくつかで、白い鬚を長く伸したよいお爺さんであった。毎日、三方ガラス戸の暖かい室にきちんと坐って、朝から晩まで絵を付けていた。

そのころ、「真正」の九谷焼を護る人々の間には、青絵と赤絵とが、まず試みられていた。特に赤絵の方が盛んだった。青絵というのは、染付のことで、呉須土で描いた南画めいた構図で、よく寒山拾得のような人物や山水などが、達筆に密画でなく描かれていた。呉須は非常にむつかしいのだそうで、これで当時一家をなしてる人はなかったようだ。赤絵という方は、朱で極々細く念入りに描いたもので、これには必ず金が使ってあるのが普通だった。少し離してみると、薄赤色に見えるほど細く井桁を組んだり、七宝で埋めたりするのが特徴といえる。西洋人が家へ来て、手で描いたのではない、判で押したのだといって、どうしても聴かなかったことがあるくらいである。それから赤絵に使う金は、どうしてやるのか忘れたが、とにかく焼き上った時は鈍い黄色をしている。それを籾殻で力一杯擦るのである。すると、だんだん気持のよい光沢が出てきて、金らしくなるのである。この金は、それだから、梨地のような光り方である。寺井焼の方の金のことを、「水金」だから温泉に入れるとすぐ変色するし、鍍金のような「あだ光り」がするといって、問題にしていなかった。私も随分手伝わされて、手が痛くなったこともあった。しかし面白かった。

一毫のお爺さんは、赤絵が専門だった。ことに竜が得意らしかった。「魑魅を画くは易し」ではなく、お爺さんの描いた竜を毎日見ていると、本当にいてもよいような気がするほどだった。しかし「竜は雲があるから描けるので、頭から尻尾まで描けといわれたらちょっと困る」と話してくれたことがあった。妙に今まで忘れないでいる。

いつか、「中央美術」で紹介されたこともあるが、この一毫さんと、まだ一人、中村秋塘との二人は、この仲間の人でも同じく、めったに自分の描いた陶器の裏に九谷と銘を入れることはない。たいてい自分の名だけしか入れない。つまらぬことだが、ゆかしいような気がする。

中村秋塘の方は変なことで知っている。小学校の三年の時か、父の厳命でこの中村秋塘さんの所へ英語を習いに通ったことがある。英語はちっとも進歩しなかったが、陶器のことはいろいろ覚えた。真黒い関羽鬚のこわい顔にも似ず親切で好きだった。

今から考えて見ると、随分変な先生を選んでくれたものだとも思えるが、あるいは幼いころから、名工と名付くべき人の特殊の感化を受けるようにと、父の深遠な理想があったのかもしれない。それだのに、自分は今になってもまだ、世間的の栄誉などに心を惹かれがちになって苦しんでいる。
秋塘さんも赤絵の方が多かった。一毫の爺さんよりも、年が若かったせいか、精力家で、精練の作をどんどん出していた。そして、そのころから随分苦心して、新しい焼を出そうといろいろ骨を折っていたが、私が五年くらいの時に、初めてなかば成功した花瓶を父が貰ってきて、説明してくれたのを覚えている。名前は玉質焼といって、全然気分のかわった淡い水彩画のような感じのもので、地を卵色の琺瑯で焼き付けて、模様を白く残したようなものだった。この玉質焼は、一年くらいの間に随分進歩して、売り出すくらいの程度になっていた。

一毫さんは、私の中学時代に死んだ。先年国へ帰った時、三方ガラス戸の室には、中学の先生とかいう、若夫婦が間借りをしていた。おばあさんが、久しぶりなので喜んで、大きくなったと褒めてくれた。秋塘さんはまだ元気だった。関羽鬚がちっとも白くなっていなかった。そして、玉質焼はますます進歩して、渋味のある立派なものになっていた。まだ改良と工夫とを怠っていないのだと見える。

大聖寺では、他にM氏といって柿右衛門の赤をよく出している人がある。あおい顔をしたおとなしい人で、さほどの年でもないのに、このごろはあまり描かないらしい。何となく、あきらめているというような感じがする。その息子は機業場の事務員となって、新調の背広を着て毎日通っていた。それが得意だったらしく、家へ帰ってもなかなか洋服を脱がないでいた。

金沢の高等学校にはいってからは、夕方の散歩に陳列棚をのぞきこむくらいのものだった。九谷窯元と書いた看板が、軒並に並んでいたが、皆寺井でつくったものばかりだった。ただ一軒、犀川の橋の袂にあった大きい店で、自分で窯をもって研究しているらしい、親切な製品を並べている所があった。

それから、父が死ぬ前「もし窯ができてうまくいったら、秋塘と竜山とを招聘したい」と口癖のように、褒めていた石野竜山のことを思い出して、裏通りの小さい店を探して行ったこともあった。子供の時の記憶よりも、ずっと鮮やかな立派な赤（赤というのは朱のことであるが）を出してあった。こんなことにでも、進歩の見えるということは、非常に嬉しいことである。湯呑の獅子の尾にこの赤を使ってあったが、あまり立派なので、買いたくてたまらなかったが、五円いくらというので、よして帰ったのを覚えている。

私はまた、金沢時代にN氏という画家の家へよく遊びに行った。不折の門人だが、金沢へ来てから、日本画特に南画に趣味をもって、筆致の雄はなくも、軽快な色と頭とで、十分好きになれる絵を描いていた。油絵の方は月なみだったが、こっちの方はよかった。遊びに行くと、よく二時か三時ごろまで腰をすえて、そして達磨の話やら鳥窠和尚の話やらをやたらたくさん聞いてきた。

ここで結晶焼の菓子鉢を見た。今は帝室技芸員とかになっている金沢の人が、随分永々苦心して得た焼で、器物の上の方につけてあった釉薬が、焼いている間に適当に流れ落ちて面白い縞をつくり、所々に薬が結晶して、同心円の繊細な花模ができているのである。N氏のいうところによると、ちょっとの加減で釉薬の流れ方がまずかったり、結晶が発達し切らなかったり、または発達し過ぎて罅が入ったりするので、数百の中からようやく一個くらいしか、あがりのよい品はできない。それで非常に貴重になるのであるということである。私はこんなことをいって、がんばってきた。科学の重要な所はそこにあるのだ、薬を精密なバランスで秤って、いろいろの組合せをつくっておいて、そのそれぞれをいろいろの温度といろいろの時間で焼いて見て、高温計と時計とで、精確な記録をとっておけば、「アフリカの沙漠にその記録を落しておいて、フランス人が拾って」焼いて見ても立派な結晶焼ができるはずですというのだ。N氏ももちろん同感してくれた。そしていろいろの学校の窯業科など出た人が、なぜもっと組織的に、科学的に研究しないのだろうといっていぶかっていた。実際、やればできるにきまっていることを、誰もやらないのだから不思議だ。これと同じ不思議はいたるところに一杯である。

もう半年で学校を出るという時になって、私は幾分、その理由が分るような気がする。要するに学校教育にそんなことを望むことが無理なのだ。特別な幸運で異常に偉い先生に付くことができて、科学の課程ではなく、研究するということの霊感を感応し体得することのできたような異数に幸運な学生を除いては、通り一辺のままで卒業した多数の学生には、それは無理もないことである。形骸を教わって、観念を教わらなかったのである。もちろん、科学の課程すなわち材料の中から精神を汲み取る者は、学生自身でなければならぬ。しかし、幾分教育の制度や方法にも欠陥はあると思われる。それは、中学校の物理の教科書を見れば最も明瞭であると書いてあるのを見たことがある。

N氏の所では、いろいろのことを知った。十二月の末ごろから、N氏は朝風呂に行くことを覚えて、毎朝五時ごろから出かけた。金沢では、雪の降る真暗の朝の五時から、一軒だけ湯をわかしている風呂屋があった。明日は画をかくぞといって寝ると、あくる日はN氏が風呂から帰って来るまでに、八畳に毛氈を敷いて紙を伸べて水を汲んで筆を洗ってある。N氏の言によると、今まで朝寝をした癖で、急に早く起きたのでは、自分の身体のような気がしなくてどうも気が乗らぬのだそうだ。一度は坐っても見るのだが、今日は止すといって机の方へ向ってしまう。年賀にいってその話を聞いて来たのであるが、二月過ぎになっても、一枚も画ができていない。聞くと相変らず朝湯に行っている。帰って筆を握っては見るのだが、どうもねという。もう八十日あまりになりますと、八十辺も空しい用意をしながら奥さんも平気なものだ。辞して帰る時、N氏は明日こそ本当に描くぞと奥さんに真面目な顔をしていっていた。奥さんはにっこり笑ってうなずいているだけだった。

それから、N氏は金沢にいる間に、いろいろの家に遺っている古い時代からの九谷の精密な模写をつくって見たいといっていた。いろいろの発展や分岐の跡が詳しく分ったら、面白いだろうと思うが、随分困難な仕事だろうと思われる。アルゲランダに比すべくもなくとも、それ自身の中にある価値のある仕事だろうと思っている。どうなったか知りたいものだ。

大学へ来てからはすっかり縁を切った。当時をしのぶよすがさえも全部失った。ある意味からいえばさっぱりした。N氏の所から、震災では九谷焼ももちろん駄目だったろうねといって、鳥窠禅の幅をくれたが、床のない下宿の四畳半では、むなしく行李の中でねている。今度行ったら額を貰ってこなければなるまいと、勝手なことを考えている。

（大正十三年）

御殿の生活

御殿というのは、私の田舎に近い城下町の昔からの殿様の御殿のことである。封建時代の殿様の生活から、現今の東京における華族の生活に移る間に、田舎の旧藩下で、御殿の生活の名残りを送った殿様が、どこにもたくさんあったことと思われる。その城下町も、今では急激に発達した輸出絹布の工場がたくさんできて、小さい工場町の感じが見えるのであるが、私の小学校時代には、古い伝統の香に満ちた薄暗い北国の田舎町であった。人々は昔ながらの習慣を守って、旧藩主の別邸を御殿と呼んでいた。そしてその広壮な御殿をめぐった露路のような狭い町に、活動と野心とから遠のいた静穏な生活を続けていた。

町を切って流れる川が真直に折れる所の一隅を占めて広い御殿の敷地があって、その門の真向いには、Ｍという古い家老の家があった。その前の道はちょうど川で切れているために、御殿の前だというのでその城下町に不似合な広い道をつけてあったけれども、昼でも通りがかりの人というものは一人もなかった。Ｍの家や、それに続いた旧士族の家々の長い土塀は、北国の灰色の空と、その付近に多い古い公孫樹(いちょう)のために、閑寂の境を通り越して、廃墟に近い感じを与えていた。私の家はそのような町からさえもずっと離れた片田舎だったので、縁続きになっているMの家に預けられて、六年の小学教育を終えた。Mの祖父は引き続いて家令として、古い御殿を守っていた関係上、その六年間の生活はほとんど御殿と終始していた。そして明治になって後の封建時代の生活の名残りと深い接触をもった機縁が今の追憶となっている。

御殿には、御老体の大殿様と、御前様と呼んでいたその奥方とが主として住んでおられた。私の最も印象に残るのはその御前様の生活であって、そのころ六十を越しておられて、茶筅に結った細面の随分きれいな方であった。大殿様が東京の御本邸へ行かれて留守の間などは、Mの祖母が話相手として毎晩のように私を連れて御殿へ上った。御前様の御居間は四十畳くらいの広い部屋で、その奥の十畳くらいが昔ながらに敷居で仕切られてある。その真中に大きい火燵をしつらえて、御前様はただ一人その火燵にあたっておられる。女中たちや旧士族の御機嫌伺いに上った人々は、その真中の敷居より奥へはいることは許されない。人々の伺候する広い部分には、片隅に小さい炉が仕切ってあって、その周囲に座を占めながら敷居越しに御前様と四方山の話をする。北国の長い冬は鼠色の雪に包まれて、人々の外界との交渉を全部絶ってしまう。もちろんそのころには、電灯はなくて、雪洞のような形の背の高い洋灯が二つ、御前様の手もとと人々の間とに立っている。私はよほど御前様のお気に入っていたものと見えて、私が上って行くと、御前様はいつも火燵を抜けて、その炉の隅まで出て来られる。そして毎日その日の学校の話などを聞かれた。学校で教わることや、どの町で雪下(おろ)しをしていたなどというような話さえ、あるいは外界の消息を御殿へ伝えることになっていたのかもしれない。

御殿の生活の中で、今になって一番なつかしく思い出されるのは、その生活がきわめて質素だったことである。冬の夜などで少しおそくなると、お茶が出て、ほとんど決ってかき餅と酒の糟(かす)とが御馳走(ごちそう)された。酒の糟は薄い板のように圧(お)し固められたものので、これをかき餅と一緒に御居間の炉の上で焼きながら、次から次へと話が続いた。そのような時には、五六人いた奥女中たちも皆呼ばれて、話の中へはいることになっていた。話手は多くの場合私一人で、そのころ夢中になって読んでいた世界御伽(おとぎ)話などの話をした。時には花咲爺の話を得意になってしたことも覚えている。そのような尋常二三年くらいの私の話を、御前様は真面目に面白がって聞いておられた。あるいは六十を過ぎるまで、そのころの私くらいの子供の心を持しておられたのかもしれない。四年の冬だったと思うが、私はMの家にあった通俗三国誌に凝り出した。ずっと以前に博文館から出した漢文直訳の随分むずかしい本だったが、学校へはいる前から、無理に支那風の書を教えられるような雰囲気に育った関係上、振仮名をたよりにどうにか読んでいった。これでほとんど無尽蔵の話の種を供給されて、私は毎晩のように孔明の話をしに御殿へ上った。赤壁のところで、「孔明七星殿に風を祈る」という挿絵がよほど気に入ったものと見えて、わざわざ本を持って御前様の所へ見せにいったことも覚えている。

その後引き続いて、同じ叢書の西遊記を読んで随分面白かった。このごろ新しい作家たちの書き直した西遊記をのぞいて見てもどこにも昔の姿は見られなかった。自分の年齢の差は除くとしても、本格のもののみが持つ特殊の趣は、とうてい再現することができないものと思われる。それは別に小説に限ったことではないのであろう。昼は本当の自然の探求者として実験を進め、夜はひきこもって古典的な名著を読むというような本格の生活をしてみたいと思うこともある。それには今のような一番好都合の位置にいながら、事実は全くの逆の傾向におちようとしている自分を省みて、時々激しい不安に陥ることがある。そのような時には、理由なく昔の御殿の生活がなつかしく思い返されてくる。

御殿には長い廊下がたくさんあった。いつも勝手口からはいっていく私たちは、暗い廊下をいくつも折れて、御前様の御居間の方へいく。人気の少い御殿では時々大きい百足が廊下をはっていることがある。女中たちは驚いて声を立てながら、手燭を持って来てその百足を火箸で押えて、油の罎へ入れては殺した。その油は切傷によく効くといって、大切に保存されていた。実際の効用は聞かなかったけれども、これも古くからの方法であったのであろう。奥女中たちについては、妙にこの百足油を作ることと、時々女中頭の人が柴舟という小さい煎餅を白紙に包んでくれた記憶だけしか残っていない。

御殿ではお正月になると、たいていは大殿様のお留守の時であるが、御前様の御居間で、旧士族の数人の人々や奥女中たちが集って、よく花合せをした。あのような花歌留多はその後どこでも見ることができないが、葉書くらいの大きさの厚い桐の板にいろいろの花の絵が描いてあって、全部で百枚くらいもあった。それを裏返しに畳の上に並べるのである。そして畳一畳くらいに一ぱいに並べられたその悠長に大きい歌留多を、交る交るに一枚ずつ開けていくのである。競技の方法は全く忘れてしまったのであるが、向日葵に大きい日輪のあるのが一万点、月見草に青い月の出ているのが五千点というふうにして勝負を決めるので、あまり巧劣によらない暢気な競技であった。しかし絵だけは、昔の有名な画工の筆になったものだそうである。このような場合にも、御前様は決して自分で競技に加わられるようなことはなかった。

お正月や、大殿様がお帰りになった時には、よく一同に御飯を下された。旧藩士の人たちはちゃんとした袴を着けて、端然として一列に並んでいた。今から考えて見ると、随分舞台めいた感じだったのであろうが、そのころの私には、きわめて自然的な印象しか与えていなかったようである。そして今の我々には珍らしい習慣であろうが、人々が御殿で飯をいただく時には必ず両肘を膝の上につけて、深く身を曲めたまま食事をすることになっていた。Mの祖父や祖母は、それが全くの習慣になっていたものと見えて、家でも毎日必ずそのような姿勢のままで食事をしていた。私はそれには随分不服だったが、御殿ではおそれ多いからうつ向いて御飯をいただくのだと、Mの祖母に固く言いつけられていたので、我慢していた。もちろん殿様と御前様だけは、普通に坐ったままですまされた。

そのような時でも、御馳走は今の東京の普通の生活に較べると、随分質素なものだった。御殿の生活では、生活費は思い切って切り詰めてあったようである。記憶に残っているのは御馳走のことが主であるが、普通に祖母と私だけで御前様と一緒に夕飯をいただく時などは、たいてい小さい魚と野菜の煮たものと、いつもきまった豆腐の御汁くらいの程度であった。それでも御殿には、ちゃんときまった料理人の夫婦がおいてあった。

大殿様が東京からお帰りになった時などは、よく組合せ文房具と洋菓子とをいただいた。円いカステラの上に砂糖で花を描いて、その上に仁丹くらいの銀の粒がのった今では普通の洋菓子を、二つばかり白紙に包んだものを大切に持って家へ帰ると、Mの祖母は、その中の一つをついでの人に頼んで、私の田舎の家へ送り届けたりしたこともある。父や伯父などは、私が始終御殿へ上っているので恐縮して、何か献上物をしたいといって、いつでも頭を悩していたそうである。士族と町人との区別がまだ幾分残っていたくらいであるから、その献上物の選定はかなりの大事件であったのであろう。ある時はわざわざ猟師に頼んで、生きた青首の鴨のつがいを手に入れて、それを葬式の時の放鳥のように大きい竹籠に入れて持って来たこともある。

大殿様は何とかの間何候とかいう方で、能では当時有名な方だったそうである。半分は東京の御本邸で過されたのであるが、お帰りになるとよく能の会をされた。その町には古い神社が二つばかりあって、ちゃんとした能舞台があった。何かの賑かな大祭が二度ばかりあったが、その時にはこの能舞台の周囲にすっかり桟敷を結って、旧藩士の老人たちが朝から能を舞った。殿様も面をつけて出られた。謡の盛んな土地だけに、桟敷はもちろん境内は一ぱいの人であった。暑い日に照らされながら、桟敷の毛布の上に行儀よく坐って、この能を一日見せられるのは恐ろしい苦痛だった。子供たちはだんだんひと所へ集って、時々はさまれる狂言を唯一の慰めとして我慢をしていた。御殿の大広間でも、年に数回は能の会があった。その時には、町の比較的大きい商店の主人たちもぴかぴかする袴をはいて、たくさん集って来て賑かだった。

しかしそのようなこともだんだん少くなって、私の小学校時代の末ごろになると、殿様も御前様もほとんど大部分を東京で過されるようになった。大殿様は、晩年には始終眼を患っておられた。特別の病気ではなくて、視力が次第に減退するのであったらしい。良い眼科医がその町にいるはずもなく、また遠方からわざわざ医者をよぶようなこともされなかった。そしてどことかの弘法様の水などを時々瞼に塗っておられた。それよりも自分には最もお気の毒な印象として残るのは、誰が申し上げたことかは知らないが、毎朝含嗽をされた水をコップに受けて、これで眼を洗うといいというので、毎朝それを実行されていたことである。口中の熱気の中に何か有効な成分があることが分ったとしても、誰でも躊躇することであろう。大殿様がこのようにして視力を愛惜していられたにもかかわらず、経過は次第によくない方へ傾いていった。

御殿はだんだん淋しくなってきた。ちょうどその頃からこの城下町で薄手と称する輸出向の絹布を織る工場ができ始めた。それが比較的好況だったものと見えて、今までの厚手という内地向のものを織っていた小さい工場の人々は、だんだん集って大きい工場を建てて、輸出物に手を染め出した。御殿の前のさびれた大通に面して、初めて寄宿舎などの付属した工場ができたのは、私の五年ごろだったと覚えている。今から考えると何の財源もない御殿の生活から、人々は次第に離れて行くような風潮が感ぜられたことだろうと思われる。御殿には以前からまだ一人Sという老人の家令がいて、そこには私と同年輩の子供がいた。私たちもだんだん悪くなって、留守の御殿を我物顔にとび廻(まわ)るようになった。大広間に続いたたくさんの小さい室が、毎日雨戸を開けずに真暗にとざされていた。その中でよく隠れん坊などをしたりした。たくさんの襖(ふすま)を静かに開けて、次から次へと暗い室を通り抜けて行くことは随分怖かったけれども、それだけ私たちの興味をそそっていた。ただずっと奥の方にある大殿様の御居間と、その裏のよほどの貴賓でもあった時に通すものと思われる妙に暗い室とは一度もはいったことが無かった。何だか不開の間というような感じで、恐くて近寄れなかったのである。まだ一つ、一の蔵と称する御蔵も随分子供の私たちにとっては怖い所だった。御蔵には一の蔵と二の蔵と白壁の大きい土蔵が二つあって、一の蔵には、大切な古くからの御道具と能衣裳(いしょう)と面とが一ぱい詰っていた。御道具の出し入れの時くっついてはいって、ほこりっぽい古い桐の箱をそっと開けて見ると、黄色くなった色紙だの、少しはげた能面などがはいっていた。この一の蔵は何となく気味悪い所として、その後ほとんどはいって見ないことにしていた。二の蔵には普通の道具がはいっていて、この方は別に何とも感じなくて、むしろ悪戯には適した場所の一つとなっていた。一の蔵を怖がった理由は当時はちっとも考えなかったが、能面のせいだけではないようである。

私が六年になった時、東京における御殿の生活に、いろいろよくない事件が引きつづいて起って、けっきょく御殿は町に寄付されることになった。町ではこの御殿をそのまま女学校にした。そのころになると、御殿だけは寄付して敷地は町に売るような形式になったことに対して、不平がましいことをいう町の人が幾分あるような時代になっていた。Mの祖母は、子供の私にそのことを繰り返していって聞かせた。

御道具類は町の公会堂で入札に出された。その陳列を見に行った時に、能衣裳やら面やら、見覚えのある御道具がたくさんあったが、当時はただ軽い好奇心で、心探しに見歩いただけであった。ちょうど学校で教わっていた小野道風（おののとうふう）の色紙などもあった。能衣裳は随分たくさんあったが、この時散逸したともいわれ、誰かが一手に受けて米国へ送ったともいわれている。残りのいろいろの物は一の蔵へ納められて、この御蔵は狭い道を隔てた敷地の一部に移された。そしてSの老人は離れの茶室をその側に移して、そこに住んで御蔵を護（まも）ることになった。中学になって、日曜に遊びに行った時、その御蔵に蟻の塔ができたといって町の評判になっていた。見物に来る人もたくさんあった。はいって見ると、二階の一隅に四尺くらいの蟻の塔ができていて、蟻の行列が暗い壁に沿って長く続いていた。その時には御蔵の中は箱一つ置いてなく、全くの空であった。

町では御殿をそのまま校舎にして、直ぐ第一回の生徒を募集した。その開校式のようなもののあった日に出かけて行ってみたら、いつもの勝手口の鴨居(かもい)に、「男子入るべからず」と書いた半紙が下っていた。料理人のいた室には、小使がはいっていた。御前様の御居間とその隣りの室とを通して長い卓を並べて、その上にいろいろの理科の器械が陳列してあった。そして小さい感応コイルだの電磁石だのが人々を驚かせていた。たくさんの室はそれぞれいろいろにふり当てられていたが、大殿様の御居間と例の不開の間だけは、やはりそのままに立て切ってあった。きれいに敷き詰められた畳の上には、椅子や机がたくさん置いてあった。見物の町の人々は、御殿の中をくるくる廻って歩いて見たり、芝生のお庭へ下り立って見たりしていた。

二十人ばかりの生徒の中に五六人の寄宿生がいた。寄宿生は大広間に続いた奥の室に住んでいたが、掃除はあまりしていなかったようだった。そして料理場へ出かけて来て、声高に話し合いながら、自分で炊事をしていた。寄宿生たちは、放課後は皆絹の着物を着て、広い帯を締めていたのも今から考えて見ると随分変っていたようである。

私が小学時代をおわってこの町を離れる年の春、御殿の御庭の一部には教室と雨天体操場とが建て増しになって、その建築の響きが周囲の静けさを破っていた。この女学校も先年県立になったそうであるから、今ではまさか大広間で講義もしていないだろうが、一度見たいものである。

大殿様も御前様も、Mの祖父祖母たちも今では一人も残っておられない。Sの老人は最後まで空の御蔵を護っていたことだろうが、もちろん今はいなくなっているだろう。御殿が女学校になった話を知っている人はだんだん少くなる。今このような閑文字を止めておくことも、全く無意味のことでもないだろう。

（昭和二年）

真夏の日本海

この十年あまり、海といえば太平洋岸の海しか見ていないのであるが、時々子供のころ毎年親しんだ日本海の夏の海を思い返して見ると、非常に美しかったという思い出が浮んでくる。

日本海の沿岸には、一般に砂丘がよく発達している。波打ちぎわから真白な砂が数丁も続いて小高い丘になり、その丘を越えたあたりから松林になっているのが普通である。そしてその松林を抜けた所に、初めて漁村が見えることが多い。それというのは、冬の日を海が一つ荒れてくると、数丁も続いた砂丘の上まで波が押し寄せて来るので、とても海辺の近くに家などを構えていることはできないのである。

渚(なぎさ)に沿ってたどって見ると、そのような真白な砂丘がしばらく続いて、やがて小さい岬につくことが多い。その岬はたいていの場合は軟質の岩からなっていて、冬の荒波にだんだん根本を洗い去られて、恐ろしい断崖(だんがい)になっている。そしてそういう岬が半里ごとぐらいに突き出ている所では、その間が小さい入江になって、真白な砂浜が弓なりに静かな青い夏の海をふちどっているのにしばしば出会うのである。岬の端にはたいていきまったように、盆栽風な枝振りの松が孤立して立っていて、あとは黒く続いた松林になっている。

中学のころ夏休みになると、よくこういう入江に近い漁村の一間を借りて、数人の友達と日本海の夏を送ったものである。このごろのように入学試験の準備などに追われる心配もなく、毎日のように朝飯をすますと、もう直ぐに魚刺と水眼鏡とを持って海へ出かけて行くことに決っていた。松林を過ぎると、真白な砂浜が朝の強い日光を受けて目ばゆいばかりに映えていて、その向うに、海が文字通りに紺碧に輝いて見えるのである。夏の日本海の朝の色くらい美しい海の色はその後見たことがない。油絵具のウルトラマリンを生のままで力強く塗ったような濃い色彩である。もっとも色の濃さからいえば、インド洋の航海の間には随分濃い海の色も見たはずであるが、真白な砂丘の向うに見える真夏の日本海の色のような印象は残っていない。

もっとも午後になると、この色はすっかりあせてしまうのであって、今から考えて見ると、どうもあの夏の日本海の朝の色を支配する一番大切な要素は、太陽の位置ではないかという気がする。もっとも海の色をきめる要素はたくさんあって、海水の中に含まれている微粒の塵ようのものに支配されることが多いのであるが、朝凪のあとまだ海が比較的澄んでいる時に、ちょうど太陽を背にして眺められるということが、朝の日本海の色をますます鮮かにするのであろう。

　間借りをしている漁師の家から三丁くらい行くと小さい岬がある。そのあたりは一面の岩海で、岬の突端からほんの少し離れて小さい岩の島がある。その島の周りが我々の漁場であって、章魚(たこ)とかさごと栄螺(さざえ)とが主な獲物であった。毎日のように漁師の子供たちが大勢で追っ馳(か)け廻(まわ)しているにもかかわらず、魚たちもそのあたりが好きと見えて、獲物はいつまでもつきなかった。海水浴についての衛生的注意などが学校でされていたのかも知れないが、そんなことはすっかり忘れてしまって、朝から夕方おそくまで水に浸(つか)っているようなことが多かった。我々町の子供たちも一週間もすると、もうすっかり海になれてしまって、半日くらい夢中になって章魚やかさごを追っていた。

　そのあたりは波打ちぎわから一丁くらい沖まで、平らな岩礁があって、深さは大体二尋(ひろ)から三尋くらいであった。所々には背の立つような浅い所もあった。岩質は何であったか忘れてしまったが、顔を水につけながら海面にぽかりと浮いて下をのぞくと、岩礁が紫がかった薄黄色に光って、所々に名も知れない雑多な藻がゆらいでいた。岩には上から見ると一面に海綿のような穴がたくさんあった。二三度太い呼息を呼吸して、最後の息を八分くらい静かにはき出したところでぐっと潜る。一尋くらい沈むと急に海水が冷々と身体に感ぜられるので、少し気味が悪いが思い切って潜って行く。そして底に着くと、左の手で岩の手がかりを押えて身体を水平にする。初めのうちは身体が浮いて困るのであるが、なれてくると割合楽に全身が海の底にぴたりと着くようになる。そういう姿勢で左の手で次から次と岩角をつかみながら、岩礁の上をはって、小さい穴の一つ一つをのぞいて行くのである。もちろん右手には魚刺を持っているので、それも漁師に教わって金具に近い所をつかんでいるのである。

底に潜って見ると、景色がまたまるで違う。岩の色は緑がかった土黄色に見え、海藻は薄茶色になる。そして多分海の表面の小さい波で強い夏の日光が屈折されるためだろうが、強い金色の光の縞がゆらぐ藻の上を滑かに動いている。穴をのぞいて行くと、よく海胆が一つか二つ紺紫色の姿を見せていることがある。そしてまれに栄螺が同居していることもある。あのあたりの海ではたいていの場合、栄螺はきまったように海胆と一緒に棲んでいるような気がしたが、偶然なのか、あるいは何かそういう習性があるのか、いつか動物の先生にきいて見たいと思いながらそれきりになっている。

二つ三つ穴をのぞいて行くうちに息が苦しくなるので、足で岩を蹴るようにして浮き上って来る。何かの調子でぼんやり浮いて来ると、わずか二尋くらいの所でも、海面まで出るのにひどく長い時間がかかるような気がすることがあった。青みがかった牛乳色の水面が上の方にあって、息が苦しくなってくると、何だかその水面が自分の頭の上で渦を巻いてるような形に見えた。そんな時にあせって手足をもがくとかえって遅くなるので、静かに身体を垂直にしていると、すぽりとたやすく頭が水面を突き抜けるような形に浮き上るということも、間もなく呑み込むことができた。

穴をのぞいて行くうちにかさごに出会うことがよくあった。少し薄暗く見える奥の方に、あの大きい頭ときょとんと前に向いた二つの大きい眼とを見ると、思わず緊張する。運よく息がまだ続く時で、最初の緊張のとたんに魚刺をふるった場合は時々は巧くいった。しかし少し大きい魚の時など、慎重を期して一度浮び上って息をととのえてまた潜ったりすると大概は失敗した。魚を突くのは本当の気合もので、見つけてから一度落付いて静かに安全な所まで近寄ってなどというふうに、ちょっと気を抜いたらたいていは逃してしまうようだった。こちらが余裕をつけている間に、魚の方もちょっと身体を動かして、待機の姿勢というかたちになって待っている。そうなったらとても我々の手には負えぬのである。

章魚はなかなか漁れなかった。島の根本の深くえぐられた岩洞の奥にはたくさんいるらしかったが、そこへはとても潜り込む勇気はなかった。深さからいったら、たいていは奥行五尺くらいの簡単な洞穴だったが、奥の方をのぞいて見ると、真暗なような気がして、それに水の色が妙に濃く碧玉色に澄んでいて、潜り込んだら最期身体が岩洞の天井に吸いつけられそうな気がした。もちろんそういう岩洞は遠くから見ただけで失礼して、島の根本をなかば潜りながらまわって行く。するとまれには小さい穴の底から、藻と章魚の足とがもつれあってゆらゆらとなびき出ているのを見付けることがある。章魚は岩や藻とほとんど同じ色をしているので、なれるまではなかなか見付からない。小さい章魚でも生きているうちはとても強いもので、特にあのたくさんの足が腕にまつわりついて吸い付かれてはたまらないので、ここと思う所を魚刺で突いて見る。巧く当ると章魚はあわてて足で魚刺の柄にからみついてくる。そこでぐいと魚刺をひねると、章魚は苦しまぎれに全部の足で柄に吸いつく。そうなればわけなく漁れるのであるが、なかなかいつもそう巧くはいかない。途中で息が苦しくなって浮き上ったりしているうちに逃がしてしまうこともちろんたびたびある。

我々が狙うのは章魚とか、かさご類のいわゆる底魚であるが、黒鯛の子だのべらだののように、途中を泳いでいる連中も、上手な人には突けるのだそうである。黒鯛の子はいつもたくさんで群をなしている。底に潜ってじっとしていると、すぐ眼の前を敏捷な姿で後から後からと続いて通り過ぎて行く。少し丈けの高い海藻のゆれている所が、連中にはお気に入りの場所と見えて、藻の間を縫って廻り灯籠のように、いつまでもひらひらと廻っていることが多い。この辺の土地では、釣りの餌に使うごかいをとるのは主としてこの岩礁地帯である。岸に近い背の立つ程度の浅い所で、よく漁師が鉄の楔（くさび）を底の岩に打ち込んでは岩をはがしているのを見ることがある。手ごろな岩片がはがされて、岩の中に孔（あな）をつくってひそんでいたごかいが顔を出すのを、漁師は大急ぎで潜ってとるのである。ちょっとでもぐずぐずしていたら黒鯛にとられてしまうので、岩をはがしたら、まだ濁りの去らぬ水の中へ逆さまに潜り込んで行くのである。楔を打ち込む音がすると、黒鯛はたくさん集って来て、その周囲に待っている。そして岩がはがされると、すぐさっと飛び込んで来てごかいを持って逃げて行く。漁師はいまいましがって追うのであるが、黒鯛の方は平気である。こういうところを見ると、魚と漁師とは仲のいいものである。

魚を追っかけているうちにだんだん沖へ出て、岩礁地帯のはずれ近くまで行くことがある。そのあたりへ行くと、岩礁は脈になって沖へ延び出ているので、脈と脈との間は狭い峡谷になって深く切れ込んでいる。谷の底は砂地で、急に十尋くらいの深さになっている。水はにわかに暗緑色になって、その暗い底の砂地が妙にきれいになだらかになっているのがかえって気味が悪い。潜っているうちに、少し深くなって岩の色が変ってきたと思うと、その隣りは恐ろしい深い谷になっている。そしてその青く暗い谷底が、きれいな砂地になって藻さえ生えていないのが、何だか生物の世界でない世界の入口のように見える。潜りながら急にこの海の底の谷間をのぞき込んだ時の神秘的な恐ろしさは、ちょっと外では経験できない感じである。そんな時に周囲を見廻して誰もいなかったりしたら大変である。大急ぎで真剣になって泳いで逃げ帰るのであるが、岸へ上っても心臓の鼓動はなかなか止らない。

日本海の海岸は年々に沈んでいくといわれている。弁慶（べんけい）で有名な安宅（あたか）の関というのは、私たちの毎夏行った所から数里と距（へだ）っていない所であるが、当時の関趾は今では半里も海の沖になっているという伝説がある。晴れた日に海がよく澄んでいると、水底に鳥居のような形のものが見えるという話であるが、私はのぞいて見たことはない。澄んだ深い海の底をのぞくことは非常に恐ろしいものである。あの真青な暗い碧玉色の海の底に、人間の遺跡を示すようなものが見えたら、どんなにぎょっとすることかと思うと、とてもそんな所へ行って見る勇気は出ない。

そういう伝説は日本海の沿岸至る所にあるらしいが、そのほかにも漁師の網に石器時代の住民の使った土器がかかってきたという話もある。それも一つや二つの例ではないので、日本海の沿岸の大部分の土地が年々沈降していくという話は、たいていの人は信用していることである。この問題は地球物理学的に見て、特に日本の島嶼の成因とか、日本の地震の問題とかに関連して大切な事柄なのであるが、本当の証拠になるような資料は思いのほか乏しいようである。例えばある海岸の地点の五十年前の写真と、同じ場所の現在の写真というようなものとを比較することができたら、所によっては案外それくらいの年月の中でも、はっきりした証拠が出てこないとも限らないと思われるが、そういう例もあまり見たことがない。

中学時代の海浜生活の古い記念写真を眺めながら、いろいろの思い出にふけって見たが、魚刺を持って魚を追い廻すようなことはもう二度とはできそうもない。しかし魚刺を小脇に岩頭に立っている勇しい写真の方は、あるいは日本列島の構造の研究になんらかの貢献をする日がこないとも限らないだろうと、変った夢を描いて見るのはちょっと楽しみである。いつか暇ができたら、あの同じ土地へもう一度行って見たいと思うこともあるが、漁村の姿には昔の面影も残っていないことだろうと思われる。

（昭和十三年五月）

北海道の夏

北海道の夏は短い。

それは来ることが遅いばかりでなく、去りかたがいかにもあわただしいのである。もっとも北海道といっても、私の知っているのはほとんど札幌に限られているのであるが、その札幌では、八月の初めになると、もう霧の降る晩がある。

夕方から、藻岩山の頂きがすっかり雲につつまれて、その底が水平に山の中腹にたなびいているような日には、日が落ちると、間もなく雲の底面が急激に下ってくる。そしてやがて札幌の街全体が、雲の中に入ってしまう。

そんな晩には、街では、霧雨が降る。少し住宅地がかった街はずれ近くのところでは、街燈の数も少く、広い街路が真暗である。そして僅かばかりの街燈がぼんやり霧の中にとぼっている。

そんな晩に、縁側などに籐椅子を持ち出していると、着物がしっとりと濡れて、肌寒い思いがする。暗い庭の木立を背景に、電燈の光にすかして見ると、霧の粒が静かに流れていて、ちょうど軽井沢の夜のような感じである。

今年の七月は、北海道には珍しく、毎日暑い日がつづいた。しかし冷害に脅かされた寒い夏の思い出が、まだ人々の脳裏から消え去らぬためか、七月になって二三日暑い日があっても、まだ本当の夏がきたという気にはなかなかなれなかった。服装も身体もまだ本当の夏になっていないうちにきた暑さは、ただの暑さであって、真夏の暑さにはなり切れないところがある。そしてその暑さが案外続いて、本当の夏がきたという気になったら、もう霧雨の降る夜が訪れるようになった。

もっともそんな夜は一日か二日のことで、八月に入ると、また暑い日もやってくる。しかしもうその風の中には、秋の気が見えて、とうもろこしの葉のざわめきにも、秋の音が入ってくる。

黄昏にもこのあわただしく去り行く北海道の夏の姿が見られる。

北海道くらいの緯度のところでも、黄昏の美しさは十分に鑑賞することができる。陽がずっと西に傾いて、もう沈み切っただろうと思われるころ、思いがけずずっと北によったところに、まだ残照の光がある。

札幌には、街の西側に、藻岩や手稲の連山がある。それらの山々が、黄昏の光の中では、いかにも綺麗に見える。近くの山が紫に、その後の嶺が青く、どの色も透んだ水のような感じである。有難いことには、札幌の黄昏には風の無いことが多い。それにどの土地も雑草か密林で蔽われつくしているので、風さえなければ、夏でも空気はよく澄む。遅くきて長く続く春の間中、高緯度の土地に特有な西風に悩まされてきた人々には、この短い夏の穏かな黄昏は、随分待ち遠しい。

こういう黄昏は、たいていは昼中十分な日射があった日の夕方に訪れる。山を埋めつくしている木だちは、こんな日には、豊饒な土から十分な水分を吸い上げて、昼中水蒸気を発散することであろう。そして夕暮とともに訪れる冷気によって、その水蒸気は真白な霧にかわっていく。

黄昏の大通りの芝生から、藻岩の連山を眺めていると、こういう霧が、紫と青との山谿の間に生れて、それが非常な勢いで拡がっていくのがよく見られる。風がないのに、霧が速く動くというのも、日中に十分に発散された水蒸気が過冷却の状態になっていて、霧のできる作用だけが伝って行くのであろう。

こういう美しい黄昏に、ただ一つ不思議なことは、大通りのエメラルド色に輝く芝生の上を散歩する人がきわめて少いことである。札幌の人たちには、まだそれだけの心のゆとりが与えられていないのかもしれない。もっともそう思ってみると、自分などにも余りそういう機会が与えられていないようである。

札幌の黄昏を十分に味わおうと思ったら、人々は少し急がなければならない。それは暑さと同じように、黄昏もまたあわただしく去り行くからである。

七月の初めには、八時になっても、まだ空の青味には昼の名残があって、浅緑の西の空からは、いつまでも光が送られてきているような気がする。そして目に見えずに、いつの間にか夜がくる。ところが八月に入ると、もうこの黄昏はなくなる。そして七時には夜が卒然とくるようになる。このように暦は我々に、精確に時の趨移(すうい)を教えてくれるのである。

八月に入ってからの北海道の夏は、昨年のような例外もあるが、たいていの年ならばそれはもはや夏とはいえない。

八月の中ごろから、そろそろ台風が来始める。内地にいたころは、そうはっきりと台風が秋をもってくるという気はしなかったが、北海道に住んで見ると、一台風ごとに大地が冷え、木の葉がざわめいていくのが感ぜられる。

北海道までくると、台風の進行は概して遅くなるようである。風の力は弱まっていることが多いが、二日も三日も陰惨な風が吹いて、その後が雨になる。そして前後一週間くらいもかかってやっと晴れたかと思うと、自然はもうすっかり秋の粧(よそお)いをしているのに驚くことが多い。

こういう台風が二三度くると、そのたびに、足早やに秋が訪れてきて、短い北海道の夏は、淡い哀愁の中に急いで過ぎ去ってしまうのである。

（昭和三十四年八月）

荒野の冬

北海道の奥地深く、荒野の冬の姿といえば、「カインの末裔」の描写を思い出す人が多いであろう。

鉛色の空が低くたれこめた下には、木も家も、吹きつけられた雪にただ、あだ白い凄気を帯びて静まりかえっている。そして一度吹雪がくると、天地が白夜の晦冥とでもいうように、深い雪の下で僅かにうごめきながら、辛じての生活を保って行くのである。

二十五年前に、有島氏によって描かれた、こういう荒野の冬は、まだ北海道の奥地では今日も見られるのである。北海道の冬といえば、ストーヴをかこんでの団欒とか、銀嶺とスキーの話とかが語られることが多い。そして私なども、札幌の生活だけをしていたならば、開拓移民たちの経験する北海道の冬というものを、最後まで知らずじまいにすんでしまったことであろう。

幸い、といえるかどうかは分らないが、私の研究はこの十年ばかり、雪とか土地の凍結とかいう方面に傾いてきたので、仕事の都合上、よく原野の冬を訪れることがあった。そして「カインの末裔」の人々の生活を実際に見る機会にあって、いろいろと感慨をいだくこともあった。

北海道の開拓民たちが、はるばると内地の村から移り入るいわゆる原野のことを語ろうとするならば、まず北海道の広さについての正確な概念をつくる必要がある。

それには面白い話がある。前の冬、私は凍上の調査のために、二月の末から三月にかけて、八個所ばかり奥地の支線の凍った土を掘って廻ったことがある。土地が凍ると、鉄道の線路でも家でも盛んに持ち上げられて困るので、その現象を凍上と称して、寒い学問の方では、一つの課題になっているのである。

廻ったところは、帯広とか、野付牛とか、名寄とかいう街に近いところである。これらの街は、内地の方にもよく名が知られているので、札幌からほど遠くないところのように思われているらしい。私の凍上の話をきいた友人の一人が、「札幌にいると、そういう研究には地の利を得ているね」といってくれた。それはその通りで、札幌にいなくては、ちょっとこういう研究はできない。しかしこれらの場所は皆、札幌から汽車で十時間とか八時間とか、かかるところである。それで日曜ごとに、こういう所まで凍った土を掘りに行くのは、ちょうど東京にいて、ある日曜には盛岡、次の日曜には新潟、その次には京都というふうに調べ廻るようなものだと話をした。そしたら友人が大変驚いて、北海道というところは、そんなに広いところとは知らなかったといっていた。「日本の地図では、いつも北海道を切り離して、尺度(スケール)を小さくして別に描いてあるので、いつの間にか皆に北海道を小さく思わせているのでしょう」と話したら、なるほどそうかもしれないと、友人も同意した。

こういう北海道では、したがって村という概念がまるでちがっているのである。一つの村というのに、詳しい数字は忘れたが、何でも神奈川県くらいの大きさのものが珍しくない。そしてその村の土地の大部分は、原生林や荒蕪(こうぶ)地になっていて、ところどころに小さい部落がある程度のものが多い。その部落のうちで、要衝に当った所が、村役場だの、小学校だの、いろいろな店屋などのある場所で、これは市街地と呼ばれている。

ところで、最近または現在大規模に入植しつつある原野(げんや)、たとえば、釧路(くしろ)や根室(ねむろ)の原野などのことは私は知らない。普通では耐えられない悲惨な生活だという噂もあるし、更生の意気に燃えて北辺開拓の鋤(すき)をふるっているという話もある。見る人々の心持ちのちがいであろう。私が冬になるとよく訪れるのは、それらの土地よりも、もう少し古く開けた場所で、十勝(とかち)とか広尾(ひろお)とかいうところである。そのうちでも、もう四年前の話になるが、広尾線の豊似(とよに)というところへ、雪質の調査に行った時の印象にはちょっと忘れがたいものがあった。

広尾線というのは、帯広から南の方へ襟裳岬の突端に向って下っている線のことである。北海道奥地の多くの支線と同じように、三等車と貨車との連結したもので、客車にはストーヴが焚いてあった。そして汽車は函ごとにそのストーヴの小さい煙突を出して走っていた。非常に混んでいて、縞目も分らないほど汚れきった着物を重ね着した女だの、犬の皮をはおった土工風の人たちだのが、ストーヴの上に押しかぶさっていた。そして誰の顔もひどく汚れ、すえたような臭気が車内に満ちている。

車窓の外には、見渡す限り広茫とした荒野が続いていた。

雪は浅くて、所々に砂礫雑りの乾いた土が露出し、開墾のために立木を伐採したあとの切株が、雪原に点々と黒く残っていた。その株の大きさから、かつてはこの土地に亭々と聳えていた樹の姿も偲ばれて、いたましい気がした。それらの立木たちは、まだ雪原のかなたには残っていて、黒い林になっていた。そしてその林の上に日高連峰のはげしい岩山の姿があった。すべての景色が、人間の生きるには、余りにきびし過ぎるように見えた。

参謀本部の地図と見くらべながら行くと、荒蕪地が遠く続いているなかに、点々と小さい部落の名が書いてある。見ると、越中部落だの、加賀部落だのという名がのっている。この地図のできた時よりももっと以前に、こういう土地へ移り住んだ人たちが、この土地の激しい自然と戦い抜いて、今もなお居残っているのであろうかと、心探しに目をやって見たが、人間の住んでいるような形跡は見当らなかった。そういえば、地図の上には、何々牧場という名がたくさん散らばっていたが、どれもそれらしいものは見えなかった。

長い距離を走って、汽車は名ばかりの停車場へ着く。すると貨車の入れ換えで、十分や二十分はゆっくり停車する。それでもやっと豊似には着いた。

豊似の手前で、あとで聞いて分ったことであるが、前年に入植したばかりの人たちの家が点々としてあるのが見えた。家といっても、名ばかりの小屋で、どこで手に入れたか、焼けトタンらしい古鉄板と、木の板とでつぎはぎの屋根をふいてあった。それが妙に惨ましく見えた。それでもストーヴの煙突らしいものはついていて少しばかり煙が出ていた。

雪は残っていなかったが、寒風が広いこの荒野を吹きつらぬいていた。そのなかで、ただ一人木を伐っている男の姿が見えた。一番心に残るのは、その小屋の一つに、赤ん坊のむつきらしいものが少し乾してあったことである。同車の土工らしい男、それも油煙と泥とで汚れた顔をした男であったが、誰にいうともなく「へん、馬鹿な奴等だ。こんな火山灰の所、何もとれやしないのに」と、つぶやくにしては大き過ぎる声でいっていた。

豊似の市街地へ着いて、仕事の都合で、また一里半ばかり鉄道を離れた土地へ入った。雪不足の道、といっても名ばかりの道であるが、それを馬橇(ばそり)で行った。少し行くと、もう人煙を遠く離れたという感じの景色になった。馬橇の男は道々この土地に住むことの辛(つら)さを、一人語りに話してくれた。

調査は案外はかどって、早く豊似へ帰って来たのであるが、午後一時半の汽車におくれたので、次の汽車は夜の十時近くまで待たねばならなかった。駅できいてみると、宿屋はあるということで、そこで休むことにした。

宿屋は案外きれいで、ちょっと意外な気がした。もっともきれいといっても、畳がちゃんと敷いてあって、襖(ふすま)もとにかくはいっているという程度であった。何も置いてない、がらんとした寒い部屋が四つばかりならんでいた。

荷物を置いて、外へ出て見た。市街地というものの、道の両側に一ならび家があるだけで、戸数からいったら、五、六十戸というところであろう。それでも驚いたことには、いろいろな雑貨商はもちろん、呉服屋だの、病院だのというものまであった。どこから、どういう人が出て来るのかは知らないが、やはりこの荒野の彼方(かなた)のどこかには、相当の人数の人々が、それぞれの人生を送っているのであろうと考えてみた。そして市街地という言葉が、ある意味では、大変ぴったりした言葉だという気がした。少し行くと、すぐ街はずれに出た。夕方近くなって、風が落ちたので、急に周囲が物静まってきた。三月の末近い日だったもので、風が止むと、さすがに夕近い空には春の兆しの色が見えていた。冷い淡青磁色の空も、地平線近いところは薄紫を帯びていた。しかし地の上にはまだまだ長い冬が残っていて、水温む春がいつくるかもしれないというふうにみえた。槲の大樹らしいのが、まばらまばらに立っていて、その細い枝が網のように空に交錯しながら伸びていた。その小枝にも新しい芽の気配は感ぜられなくて、ただ梢の上に、寒い弦月がかかっているだけであった。

　宿へ帰って夕食をしながら、いろいろ話をきいて見た。案外に顔立のととのった健康そうな娘さんが給仕に出て、こんな家でも毎日二三人はお客がありますとか、この街にも豆腐屋が二軒ありますとかいう話をしてくれた。もっとも皆半農の生活をしているということで、米はとれない土地だということであった。

　加賀団体とか、越中団体とかいう人たちはまだ少し残っているが、牧場は一つもなくなってしまったという話であった。私には無くなった牧場のことよりも、まだ少し残っているという加賀や越中の人々のことの方が、何となく身にしみて考えられた。

こういう所を廻ってみると、気候学の範囲とか、拓植の方針とかいうものについても、いろいろな問題が心に浮かんでくる。しかしどうもこういう土地に住む人たちの人生ということに、頭をとらわれがちになっていることが、自分でも気が付く。それではとても大規模な拓植計画などは立てられそうもない。やはり為政者としてやる場合には、入植者何百名、開墾地何千町歩というふうに、実際の開拓の人々の人生や生活から抽象したある種の数字だけで、万事切り盛りするより仕方がないのであろう。

私はそういう問題には立ち入ることを止めて、ここではただ自分の研究もでき、そのかたわら、いろいろな人生を知ることもできた点だけで十分有難いと思うことにしよう。

（昭和十五年十一月）

雪を作る話

これはほんとうに天然に見られるあの美麗繊細きわまる雪の結晶を、実験室の中で人工で作る話である。零下三十度の低温室の中で、六華の雪の結晶を作って顕微鏡でのぞき暮す生活は、残暑の苦熱に悩まされる人々には羨ましく思われることかもしれない。

雪の結晶の研究を始めたのは、もう五年も前の話であるが、有り合せの顕微鏡を廊下の吹きさらしの所へ持ち出して、初めて完全な結晶をのぞいて見た時の印象はなかなか忘れ難いものである。水晶の針を集めたような実物の結晶の巧緻さは、普通の教科書などに出ている顕微鏡写真とはまるで違った感じであった。冷徹無比の結晶母体、鋭い輪廓、その中にひそめられた変化無限の花模様、それらが全くの透明で何らの濁りの色を含んでいないだけに、ちょっとその特殊の美しさは比喩を見出すことが困難である。

その後毎日のように顕微鏡をのぞいているうちに、これほど美しいものが文字通り無数にあって、しかもほとんど誰の目にも止まらずに消えて行くのがもったいないような気がし出した。そして実験室の中でいつでもこのような結晶ができたら、雪の成因の研究などという問題を離れても、随分楽しいことであろうと考えてみた。

いずれにしてもこの雪の結晶は、高層のきわめて温度の低い所で、水蒸気が凝結してできるものには違いないのだから、その真似をすれば良いわけである。最初には銅板の円筒の長さ一メートルくらいのものを作ってそれを冷して置いて、上から水蒸気を吹き込んで見た。しかしそれくらいのことではなかなか雪は降らない。最初の冬はそんなことを試みているうちに明けてしまった。次の冬にはもっと小型の銅箱を作って、それを内部から液体空気で零下二十度くらいまで冷して置いて、その上に暖い水蒸気を送ってみた。完全な六華の結晶は一応見切りをつけて、まず結晶のいくつかの枝をこの銅板の面から伸び出させようというつもりなのである。できたものは、寒い朝ガラス窓に凍りつく霜の花のようなものばかりで、空中に伸び出る結晶の枝はどうしてもできない。そのうちに第二の冬もみるみる過ぎ去ってしまった。

　こんなことをしているうちに、やはり雪のようなものは、天然にこそ全く無造作にできるものであるが、人工的に作ることはなかなか困難な仕事であろうという気がしてきた。それには実験室内での失敗ということ以外に、そのころから行き始めた十勝(とかち)岳(だけ)での体験も原因するのである。十勝岳の中腹で見られる雪の結晶は、札幌などで知られる結晶とはまた一段の精緻さを見せているのであった。そしてその種類がまた実に多岐をきわめていて、夢にも思い掛けなかったような不思議な形の結晶が、いくらでも降ってくるようなこともあった。

水晶の結晶のような六角の柱などはもちろんのこと、北極探検のさい初めて発見されたというピラミッド型のものも再三見られた。時にはこれらの角柱の両端に六華の花が咲いて鼓(つづみ)のような形になったもの、それがだんだんに重って昔の複葉飛行機のような形をしたものなどが、全山を埋め尽くすようなこともまれではなかった。こんな結晶を見暮していると、いつの間にか自然の神秘に圧倒されてしまって、こんな物を人工的に作ろうとする企てすら、何だか自然に対する冒瀆(ぼうとく)のような気がしてくるのであった。

第三年目の冬も惰性的に前の年の実験を繰り返していた。そのうちにふと気が付いて、冷い銅板の面を上に逆さに置いて、その下に水を入れた器を置いてみた。水蒸気はその水面から蒸発して自然の対流で上方へ昇って、銅板の面に凝結するのである。こうしてみると、銅板の面からちらちらと白い粉が降り出した。顕微鏡で見ると、ちゃんと雪の結晶の片割れに似たものになっている。こんなことがどうしてもっと早く気がつかなかったのか。水蒸気を適当に、かつ結晶のすみずみまで行き渡らすには自然対流を用いるのが一番良いことは、考えて見れば何でもないことであった。自然の場合だって天は上に、地は下にと決っている。しかし下の物を上にしたり横のものを縦にしたりすることが、案外むつかしい場合のあるのは、何も物理の研究と限ったものでもない。

四年目の冬は、前年の実験ですっかり元気を取り戻して、同じような実験を進めていったのであるが、どうも今一息というところで、自然の雪の結晶のような美しいものにはならない。それも考えてみれば当然なのであって、自然の場合には空気が冷えていて、結晶熱は対流と輻射で取り去られて、結晶が生長するのである。それをするには室全体を冷くするのが一番簡単である。天には銅板はないということに気が付くのにまた一年かかった次第である。それで問題は全く最初に返って、天然の雪の結晶のできる通りに真似をすれば良いという、きわめて平凡な結論に達したのである。

ちょうど今年の春から、私の今勤めている北大に零下五十度まで下る低温室ができた。その中の水蒸気の自然対流を適当に按配して結晶を作ってみると、わけなく天然のものに負けないような綺麗な雪の結晶の片割れができたのである。片割れというのは、結晶を金属か木の面に凝結させて作るので、ほんとうの雪の結晶の六本の枝のうちの二本か三本かができるのである。結晶形を論ずるだけなら、枝が二本か三本あれば良いはずであるが、どうも六花の天然の結晶にそっくりの物を作らないと、何だか気がすまぬような気もする。それできわめて細い毛の先にこの結晶を発達させることを、助手のS君に頼んで置いた。

二三日して「はたして雪ができました」というS君の案内に、急いで低温室の中へ入って見ると、なるほど兎の毛の先に六花の結晶が白く光っている。そっと取り出して顕微鏡でのぞいて見ると、このできたての雪は、天然の雪よりもいっそうの見事さである。

ここまでくると、後の仕事はきわめて順調に運ぶのである。水の温度をいろいろに変えて、水蒸気の供給を加減すると、それぞれに決った形の結晶が得られる。例えば水蒸気が多いと羽毛状に発達した繊細な結晶になり、中ほどぐらいにすると綺麗な角板になる。そして思い切って水蒸気の供給を減らすと、きわめて徐々に角柱状やピラミッド型の結晶が生長する。六角板の端々に羽毛状の枝の付いた結晶が、天然にはよく見られるのであるが、このような結晶を作るには、まず初めに角板を作って置いて、それから急に水温を高めてその端々に羽毛状の枝を付けていけば良い。鼓型の結晶などが巧くできたりすると、薄暗い低温室の中で、凍った指先に白い息を吹きかけながら、思わずにやりとすることもある。面白いことには、こうしてできる結晶はたいてい天然の雪と同じくらいの大きさのものである。一つ手の掌くらいの大きさの雪を作って見たいと思うがなかなかできない。

　この仕事で一つ困ることは健康の問題である。外の気温が高くなると、いくら毛皮の防寒服に身を固めていても、五十度以上の急激な気温の変化に始終あっていては、どうもいけないようである。自分は真先に降参してしまって、後は若い元気な助手や学生の人たちに任してしまった。

　この仕事は面白いことは実に面白いが、ただ一つ涼し過ぎるのが欠点であるなどと、八月の真中に友人に話して羨しがらせているが、実はそう易しい実験でもないのである。

（昭和十一年八月）

雪雑記

このごろたいていの雪の結晶が皆実験室の中で人工でできるようになったので、自分ではひとりで面白がっている。よく人にそれはどういう目的の研究なんですかと聞かれるので、こうして雪の成因が判ると、冬期の上層の気象状態が分るようになって、航空気象上重要なことになるのですよと返事をする。そうするとたいていの人はなるほどと感心してくれる。しかし実のところは、いろいろな種類の雪の結晶を勝手に作ってみることが一番楽しみなのである。

もう六年前の話になるが、初めて雪の結晶の顕微鏡写真を撮ってみようかと思い付いたころは、この美しい結晶が人工でできようとは夢にも思っていなかった。ちょうどその前年アメリカのベントレイの雪の本が出版されたのが機縁となって、日本の雪はどうだろうと思いついたのであった。初めのうちはとてもベントレイのような綺麗な写真は撮れないだろうがと思いながら、とにかくやってみることにした。何よりも雪のとけないような寒い所でなくてはこの実験はできないので、付属屋の方へ行く廊下の片隅で始めることにした。ここはスチームも通っていないし、冬になるととても寒いので余り人も通らず、まず究竟の場所である。そこへ実験台の小さいのを一つと顕微鏡とを運んで、冬の間は一度もあけたことのない引戸をすっかりあけ放すと、まず準備はできたのである。

札幌の一月はだいたい気温は零下七八度ぐらいである。凍りついた引戸を無理にあけると、廊下のコンクリートの路面から二尺くらいも積み上った吹溜りの雪が、ぼろぼろとコンクリートの上へこぼれ落ちてくるのであった。そこでガラス板を紙につつんで外へ出して置いて、すっかり冷え切ったところを取り出し、降ってくる雪をその上に受けとって、顕微鏡でのぞくのである。なるほど今まで写真で見た通りの形をしている。実のところ、ほんとうの雪を顕微鏡でのぞいたのは、この時が初めてなのである。写真では黒白の線しか分らないのであるが、眼で見たときは、細い小凹凸があるために、繊細なあの模様の縁に空の光が反射して、水晶細工のような微妙な色が見えるのであった。しかし完全な結晶というのはまれであって、いろいろの形の汚い結晶が混っているので、それを取り除けるのが一骨であった。けっきょくマッチの軸の頭を折って、そのささくれた繊維の端で欲しい雪の結晶を吊して、綺麗なガラス板の上へ持ってくることになったのであるが、どうもとけ易くて困った。しかしいろいろやっているうちに、それは手の暖みによる輻射熱と手で暖められた空気の対流とによることが分ったので、手袋をはめることによって難なく解決された。手袋を手から出る暖かみを遮断するために用いるのはちょっと面白いが、考えて見るまでもなく、すべての防寒具の目的とするところは、けっきょく同じことなのである。手袋をはめるとますます仕事は面倒になる。しばらくやっているうちに、いくら外套をきこんでいても、いつの間にか身体がすっかり冷え込んで、気がついて見ると、足は小刻みにコンクリートの上をとんとんと踏んでいる。あわてて暖い部屋へ逃げ帰って、スチームの放熱器に腰をかけて暖まるのである。

　こんな騒ぎをしてやっと顕微鏡写真をとることはできたのであるが、今になってそのころの写真をとり出して見ると、随分下手な写真である。それでも初めて現像してみて、結晶の像が出て来た時はとても嬉しくて、濡れた乾板を持って同僚の友人の所へ見せに行ったのであるから、随分滑稽な話であった。そんなことをしているうちに、最初の年の冬は明けてしまったのであるが、一度手がけてみると、急に雪に対する愛着が出てきて、その後毎年冬になるのを待ち兼ねるようになった。そして前の年に見たと同じような形の雪の結晶と、顕微鏡の下で会うのを楽しみにするようになった。

　次の冬の正月休みの前になって巧いことを思いついた。それは十勝岳の中腹に山林監視人のためにヒュッテができているのであるが、それを借りて皆で出かけて、雪の降る日は結晶の写真を撮り、天気の日は仕方がないからスキーをやろうという案なのである。駅から五里の雪道を、馬橇で顕微鏡だの写真用器具だの食料品だのを運ぶのは大仕事であったが、計画は見事成功した。白樺の老樹の細かい枝が樹氷につつまれて空一面に交錯している間に、わずかばかりの空所があって、その間を静かに降ってくる雪の結晶は、予期以上の繊細巧緻をきわめた構造のものであった。夜になって風がなく気温が零下十五度ぐらいになった時に静かに降り出す雪は特に美しかった。真暗なヴェランダに出て懐中電燈を空に向けて見ると、底無しの暗い空の奥から、数知れぬ白い粉が後から後からと無限に続いて落ちてくる。それがだいたいきまった大きさの螺旋形を描きながら舞って来るのである。そして大部分のものはキラキラと電燈の光に輝いて、結晶面の完全な発達を知らせてくれる。標高は千百メートルぐらいに過ぎないが、北海道の奥地遠く人煙を離れた十勝岳の中腹では、風のない夜は全くの沈黙と暗黒の世界である。その闇の中を頭上だけ一部分懐中電燈の光で区切って、その中をいつまでも舞い落ちて来る雪を仰いでいると、いつの間にか自分の身体が静かに空へ浮き上って行くような錯覚が起きてくる。ほかに基準となるものが何も見えないのであるから、そんな錯覚の起きるのは不思議ではないが、しかしその感覚自身は実に珍らしい今まで知らなかった経験であった。

ヒュッテの中には部屋の真中に大きいストーヴがあって、番人の老人が太い三尺もある立派な丸太を、惜し気もなくどんどん燃してくれている。そこで十分暖まってから、防寒外套を着てヴェランダに出て写真をとるのである。顕微鏡写真の装置は固定したままヴェランダに出し放しになっているので、しばらく休んでいる間に、水鳥の胸毛よりももっと軽い雪がもう何寸も積っている。軽いといえば、十勝岳の真冬の降り立ての雪くらい軽いものは少いだろう。比重を測って見ると、百分の一よりも小さいことがある。まるで空気ばかりのようなものである。よく縁日の雑沓の中で、銅の盥をぐるぐる廻して、綿菓子というものを売っていることがあるが、あの綿菓子のような感じである。こんな雪はさっと払うとすぐ飛んでしまって、そのまま仕事を続けるのに何の邪魔にもならない。この土地では冬の六ヵ月の間、気温が零下五度以上に昇ることはほとんどない。それで水の常態は固体であって、液体の水というのは例外的に見られるだけである。それで周囲は全く水の中に埋もれているはずなのに、物が濡れるという心配は先ずないのだから面白いと思った。千円の顕微鏡を雪の露天に放り出しておいても、乾いた布で拭うだけの注意をしておれば、何の故障も起らないのである。余り大切にして、一々暖い部屋へ持ち込んで掃除をしていたら、温度の急変と雪がとけるために、かえっていろいろな故障が起りやすい。こんな所ではずぼらをするに限るのであって、ただ注意すべきことは、水をこぼすことである。液体の水はここでは一種の危険品で、あやまってヴェランダの床の上などにこぼしたら、直ぐ凍りついてしまって、その後は危くて歩くこともできない始末になる。

結晶がとける心配はないのであるから、いくらでも良い写真がとれるはずであるが、実際は初めのうちは、なかなか巧く行かなかった。ぐずぐずしているうちに、昇華作用で肝心の一番繊細な模様が消えてしまったり、つい一番大切な珍らしい結晶に息を吹きかけてしまったり、なかなかそう簡単には行かなかった。ところが十勝行もその年のうちに二回、次の年にも三回というふうにたび重って行くと、不思議なことには、雪の結晶がだんだん大きく見えてきて、それにガラス細工か何かのように勝手に弄り廻すことができるようになってきた。どうも双児の結晶らしいと思われるものは、両方から引っ張ると、ちゃんと二つに分れるようになった。冬彦先生の随筆に、ガラスの面に作った絹糸ぐらいの割れ目を顕微鏡で毎日のぞいていると、小山の中に峡谷があるように見えてくる。そうなるといろいろの現象が分ってくるというような意味の一節があったように憶えているが、どうもそういうことが有りそうである。十勝岳ではよく水晶のような六角柱の雪の結晶で、両底面に六花の板状結晶がついてちょうど鼓のような形になったものが降って来ることがある。そういう結晶は何とかして顕微鏡下に垂直に立てて、その側面の写真をとりたいのである。いろいろ試みた末、唾(つば)を使うのが一番良いということが分った。マッチの軸の先をちょっとなめてガラス板をそっとつつくと、唾の非常に小さい滴がガラス板の上につく。ところが唾は氷点が低いと見えて、しばらくは過冷却の状態で液状の微滴のままになっている。そこで今一本のマッチの軸の頭を折ったもので結晶を吊しながら、ちょうど結晶が垂直に立つように、その一端を唾の滴にふれさせるのである。すると今まで過冷却の状態にあった唾の滴は、その瞬間に凍って、結晶は巧く垂直にガラス面に凍りつくのであった。このようにしていろいろの結晶の側面写真をとって見ると、平面写真ばかり見ていたのではどうしても分らなかったことが、飽気(あっけ)ないいくらい簡単に分ってくるのでとても面白かった。

その写真をたくさん発表してしばらくしたら、万国雪協議会英国部会長といういかめしい肩書きで、セリグマン氏から手紙がきた。おそろしく丁寧な文面で、「貴家の撮影にかかる雪の結晶写真のうち、側面より撮影されし写真多数を拝見仕り候。いかにして雪の結晶を垂直に立てられしや御差支えなくば御洩(もら)し被下度候(くだされたくそうろう)」というのである。それで早速「それにはマッチの軸と唾とを御使用になるが最適と存じ候」と書いて返事を出しておいた。折り返して返事がきたが、その文面がまたふるっていた。

「雪の結晶の撮影に関する貴君の卓越せる技術を伝授被下、誠に感謝の至りに御座候」というのであった。どうも真面目なのか、ふざけているのかちっとも分らないが、この返事を見た時は思わず吹き出してしまった。

セリグマン氏といえば、その後ひどくいじめられたことがあった。それというのは、先生は雪の結晶のことを simple snow flake といい、牡丹雪のような雪片のことを compound snow flake といって、snow crystal という言葉は、ざらめ雪のためにしまっておこうというのである。私の方はそんな慾はないので、分離した結晶の方は snow crystal、牡丹雪のようにたくさんの結晶の集った雪片は snow flake ということにしておいた。ところが先生から世界中での命名を一定したいから自分の命名法を使わないかという勧誘が盛んにくる。もっともそのこと自身には私も賛成であるが、しかし雪の結晶の中には鼓もあれば、針状のものもある、どうも鼓や針を flake というのは少しおかしいと思ったので、その由をいってやった。ところが大変である。折り返しタイプライター五枚くらいの返事がきて、細々と自分の命名法の由来を書いてくるのであった。やっとの思いでたどとその反駁を書いてやると、また五頁くらいの手紙である。何の辞書には flake という意味がこうなっている。何世紀ごろにはどういう意味に使ったというのであるから、うんざりしてしまった。向うは秘書とタイピストとを使ってべらべらとしゃべればすむことだし、こっちは一本の手紙を書くのに一日がかりなのだから、これではとてもかなわないと諦めてしまった。それで、「英語はあなたの方が私より確かなのだから、そして命名法を一定することは私も賛成なのですから、爾今あなたの命名法を使いましょう」とあっさり降参してしまった。

ところが思いがけず最近になって、妙な援兵が現れた。しかもたいへん有力な援兵なのである。ことの起りは、セリグマン氏が私の雪の研究にたいへん好意を持ってくれて、ネーチュアという雑誌に詳しい紹介を書いてくれたのである。ただしその中でcrystalという言葉は皆flakeと直して書いたのである。こっちは一度降参してしまったのであるからどうでも良いと思っていたところが、それを読んだ英国の気象台長シムプソン博士が、同誌の寄書欄へ早速一文を寄せて、雪の命名法は中谷の方が正しい、オックスフォード辞典ではフレークという言葉はという調子に、すっかりセリグマン氏の命名法をくさしてしまったのである。ネーチュアはこんな寄書があると、相手の本人にその写しを送って答弁を求めて同時に掲載する習慣になっている。セリグマン氏の答弁は、自分の命名法は最上とは思わないが、ほかにもっとよい言葉がないから仕方がない、それにフレークという言葉はそれほど悪くはない、ウエブスター辞典によれば云々というのである。オックスフォードやウエブスターなら僕だって見たことがあるぞと思って読んで行くと、最後に「それに中谷も私の命名法に最近は賛成をしている」という一節があったので、思わず苦笑してしまった。有力な援兵が来たら、その前に本隊があっさり全滅してしまった形である。物事は何でも余り早く諦めてしまうのも考えものである。もっとも今これを蒸し返したら、またタイプライター五頁の速射弾を受けるにきまっているから、当分はこっそり低温室にかくれて、手のひらくらいの大きさの人工雪でも作る工夫をしていた方がよさそうである。

十勝岳の思い出は皆なつかしいことばかりである。冬の深山の晴れた雪の朝くらい美しいものも少いであろうと、今も時々思い出すことがある。それというのは、その後私の健康上の問題もあって、十勝行は自然中止の形となってしまったからである。まだ止めてから三年くらいにしかならないのに、何だか遠い昔のような気がしてならない。零下十五度の吹きさらしの中に立って、数時間も続けて仕事をするというような気力と体力とは、もう再び返ってこないような気がして、心細い思いに耽けることもある。

野外の仕事が封じられた形となったので、自然と研究は実験室内での仕事の方へ向って行った。それは低温室の中で雪の結晶を人工的に作ろうという問題である。低温室というのは、私のつとめている大学に二年ばかり前にできた実験室で、八畳間くらいの室全体が、年中零下五十度くらいまで温度を下げられるようになっている室である。この部屋の中で雪を人工的に作ろうというのであるが、その中で実験するには、もちろん服も頭巾も手袋も靴もすっかり防寒用のものを用いるのである。北満の厳寒の野に立つ哨兵と全く同じ服装をして、細かい物理の実験をしようというのだから、なかなか思うように仕事ははかどらない。初めのうちは、これだけ十分な防寒用意をしていれば、大して身体に悪いこともなかろうと思っていたのであるが、しばらくやって見ると、この仕事もあまり健康の上には有難くないものだということが分った。零下五十度にすることはめったにないので、普通は零下三十度付近で仕事をするのであるが、それでも夏になると、外界と五十度くらいの温度の差がある。すなわち部屋に出入りするごとに、五十度の気温の急変にあうことになるのであるが、それがどうもいけないらしい。それでこのごろは、実験はすっかり元気な学生の人達に頼んでしまっているが、それでも暗い低温室の中で、兎の毛の先に作った人工雪の結晶が白く光っている様を思い見ると、時々はいって見たい衝動にかられることがある。

雪を人工で作るといっても、別に大して新しい変った考えがあったわけではない。

いろいろやって見たが、けっきょく自然をそっくりそのまま真似る方が一番利口であった。こんな問題になると、人間の知恵などはまだなかなか駄目なものだとつくづく思った。自然の真似というと、けっきょく冷い空へ暖い水蒸気を対流で送ってやって、凝結させることなのである。それで装置といっても、対流を巧(うま)く生じさせて、その調節ができるようにさえしてやればよいのであった。ただ天然の場合は、数時間かかって落ちてくる間にあれだけの発達をするのであるから、その時間だけ結晶を空中に浮游(ふゆう)させる必要がある。それは低温室の中ではちょっとむつかしいので、差し当り兎の細い毛に結晶をつけて発達させることとした。ちょうど結晶が兎の毛で吊(つる)されたような形になってできるのである。兎の毛で吊した雪の結晶なんて少しいんちきだといわれるかもしれないが、まあ当分のところは、それで我慢して貰(もら)うより仕方がない。それでけっきょく、気温と水蒸気の量および温度とをいろいろかえると、できる結晶の形が皆違うのである。まさかあんなものはできそうもないと思っていた珍らしい形の結晶、例えば段々鼓や角錐(かくすい)なども、あんまり簡単にできてしまって、少し飽気ないくらいであった。

ウェーゲナー教授がグリーンランドで一冬過した時に、あの全島を蔽(おお)っている氷山の裂罅(クレバス)の底で、洋酒のコップ型の結晶を見付けたことがある。しかもそのコップは、上部の壁の一部が開いて屏風のような形になっていて、上から見ると、六角の螺旋形に捲き込んでいるという念の入ったものであった。すなわち水を入れたらこぼれてしまう形のコップである。ウェーゲナー教授は写真を撮って来たからよいようなものの、ただのスケッチだったら、とうてい信用できないくらいの不思議な形の結晶である。ところがその結晶までがわけなくできたのには、ちょっと驚いた。グリーンランドだから気温もずっと低くして、氷山の裂罅の中だから水蒸気の温度も低くして、供給度も減らして、最後に裂罅の底だから条件の変化も少くしてというふうに考えて、その通りやって見ると、ちゃんと屏風型のコップができるのだから不思議である。これならまず誰でも面白いだろう。若い元気な学生諸君は無闇と面白がって勉強をして、次ぎ次ぎといろいろな結晶を作ってくるので、見る見るそのレポートが机の上にたまってしまう。これではとてもたまらないので、休戦を申し込んで見たが、誰もちっとも怠けてくれない。そのうちに計千枚くらいの写真と、積んだら一尺五寸くらいになるレポートを作って、皆卒業して行ってくれたので、やれやれと思ったら、また新しい三年生の研究実験を始めねばならないという始末である。この調子で生涯働かされるのだったら、研究というものも因果な商売である。その最も因果な所以が、自分から面白くなって止められない点にあるのだから、全く厄介なことである。

雪の全種類の結晶が、気温と水蒸気の量とを変えることによってできるといったのは、実は少し胡麻化しがあるので、自然の工はなかなかそう簡単ではないようである。事実今までの千枚の人工雪の写真を見ると、雪の結晶のほとんど全種類がその中にあるので、前の結論は嘘ではない。しかしそれではまだ学問にはなっていないのである。それというのは、逆にある一定の結晶を指して、これを今作って見ろといわれると少し困るのである。五回もやれば三回か四回はできるのであるが、どうかしてこじれると、なかなか思う形の結晶ができないことがある。それではちょっと困るのであって、要するにまだ結晶をきめる条件の中で、隠された条件がたくさんあることになる。気温とか水蒸気の量とかいうふうに数値で簡単にあらわされる条件は、見やすいのでめったに見落すことはないのであるが、そのほかに簡単に一つの数値で現わされない条件が、大切な役割をすることがある。その中でこの場合まず気のついたことは、状態の一定度である。どうせ寒暖計で測った気温は、例えば零下二十度といっても、それは空間的に考えれば、水銀球の在る場所の周囲の平均温度を指しているのに過ぎない。また時間的に見ても、ある時刻における温度というものは、その前後の短い時間の平均温度である。ところが暖い水蒸気と冷い空気との混和というような問題になると、時間的にも空間的にも、非常にこまかく考えて見ると、激しい偏差があるはずである。

ところが普通の寒暖計で測ると、それは出てこなくて、水銀柱はその平均値を示すだけである。そして多くの場合には、このような偏差は大した問題にはならぬので、ことがすんでいるのであるが、雪の結晶のような小さいものになると、それが非常にきいてきてよいはずなのである。

こう気がついて見ると、今までのように気温いくら、水温いくらといってすましてはいられなくなってきた。同じく寒暖計が零下二十度を示していても、本当に気温が零下二十度になっている場合と、零下二十度を中心にしてその上下に激しく変化しているのが、寒暖計には平均されて二十度と出ている場合とは、たいへんな違いである。それでまずその区別が雪の結晶の形に現われてくるか否かを見る必要が出てきた。それには気温と水蒸気の温度とを、それぞれ厳密に一定に保ちながら、雪を作って見るのが一番早道である。それで低温室の中に、自働恒温装置を取り付けた木箱を持ち込み、その内部では温度が常に一度の十分の二以上の変化のないようにしておいて、その中へ人工雪の製作装置を納めることとした。水蒸気を供給するための水槽の温度も、もちろん恒温装置を用いて一度の十分の一以内の精密度で一定に保つようにした。このようにして雪を作って見たところが、結晶の形がまるで変ってきたのである。前には樹枝状の六花の結晶ができた条件で、今度は大きい見事な角板ができたりして、全く驚かされてしまった。まだ始めて間もないのであるが、それでも人間の爪くらいの大きさの角板ができたこともあった。この調子では手のひらくらいの大きさの雪の結晶を作る話も、まんざら夢とばかりはいわれなくなってきた。

ところでこのように、状態の偏差が結晶形にひどくきくとなると、どうしても髪の毛くらいの針金で熱電対を作って、結晶の直前の気温の変化を記録する必要が出てきた。小人島へは小人島の機械を持ち込まなければならないことは、実は前から分っていたのであるが、億劫だからなるべく胡麻化そうとしていたのが、とうとうばれた形である。この小人島の器械を低温室の中で使うのは、なかなか急にはゆかない。もっともその間はまず休戦状態で、私の方は大いに助かる。しかしやる方はたいへんだろう。

結晶のできる条件の方は、まあ当分やることが見つかって結構であるが、それと同時に結晶自身をもっとよく見る必要がある。結晶内部の微細構造や角板の中に見える細い縞などが、一体何であるかは、まだはっきり分っていないのである。今まで世界中で撮られた一万枚以上の雪の写真に、あんなに綺麗に出ているこれらの模様の本体が、まだ分っていないのだから、随分妙な話であるが、ほんとうのところまだよく分っていないのである。それというのは、今まで上から見た写真しか撮られていないからである。この微細構造の研究には、雪を染めて見るとか、油で固めて見るとかいうことも考えられたので、少しやって見たが、どうも巧く行かなかった。それで断然正攻法と決めたのである。それは雪の結晶を、問題とする模様の所で二つに切って、その切口を高倍率の顕微鏡で見ようというのである。雪の結晶を切るといっても、今のところ別に名案もないので、一つ安全剃刀の刃で切って見ようということになった。若い仲間の一人がこの役を引き受けて、この夏以来毎日低温室の片隅で、横で誰か人工雪を作るのを、片っ端から引き受けては切っている。初めから判っていたように、そんなことができるはずのものではない。そして事実三ヵ月かかってもまだ切れなかったのである。どうしましょうかという相談があっても、まあ今に切れるようになると思って、毎日切っているより仕方ないでしょうねと、曖昧な返事をしておくよりほかに考えも浮ばない。随分頼りない話である。

　ところが不思議なことには、最近になって見事に真直に切れるようになったのである。別にどこをどう改良したというのでもなく、依然として安全剃刀の刃を手に持って切っているだけなのであるが、切れてさえくれればそんな詮索をするまでのこともない。ところでこんな研究もよいが、大学で雪を切ることだけ教えるのはちょっと困るといわれれば一言もない。だから早く切って、その切口をいろいろ精密器械を使って測りたいのであるが、なかなか切れなかったのだから困っていたのである。しかしもう切れたのだから、そのような御叱りを受けなくてもよさそうで少し安心した。もっとも勝手な気焰をあげてもよければ、精密器械の取り扱い方を教えることももちろん大切ではあるが、一見不可能なことでも、必ずできると思ってやればたいていのことはできるものだという体験を持って貰うことも、まんざら役に立たぬことでもなかろう。

寒い目にあってさんざん苦労をして、こんな雪の研究なんかをしても、さてそれが一体何かの役に立つのかといわれれば、ほんとうのところはまだ自分にも何等確信はない。しかし面白いことは随分面白いと自分では思っている。世の中には面白くさえもないものもたくさんあるのだから、こんな研究も一つくらいはあってもよいだろうと、自ら慰めている次第である。

（昭和十二年十一月）

雑魚図譜

私は昨年の秋から少し静養の意味で、伊豆(いず)のI温泉に仮りの住居を定めることにした。今まで北国の生活ばかりしていた私たちには、初めて見る南国の冬が、いろいろ珍らしい経験をたくさんもたらしてくれた。高畑の蜜柑畠(みかんばたけ)に日が映えて、雑木林が紫色に光るのも珍らしかったし、冬の海に陽光がさんさんと降っている景色もたのしかった。何だか周囲が天恵でみちみちているような気がして、半年を灰色の空の下で雪に埋れながら暮す人たちの生活が、遠い国のことのように思い浮べられた。

それらの天恵の中でも、この伊豆海岸の生活で自分に一番嬉(うれ)しいことは、いつも鮮(あたら)しい魚が得られ、しかもその種類がきわめて多いということであった。この町は温泉地として有名であるにもかかわらず、実は今でも町全体の収入を見ると、温泉地としてよりも漁港としての方が多いという話である。それだけに町の姿にも全くの温泉街とはなりきれぬところがあって、かすかに残っているその漁村の匂が、落ちついて住もうとする私たちに、何となく暮しやすいという感じを与えてくれるのであった。

私がここにしばらく滞在しようとした時に、医師の人から新鮮な魚をたくさん食べるようにと勧められた。もともと私は子供の時から北国の荒海近い田舎に育って、いろいろの磯の小魚に親しみをもって育ってきたのであるが、その後都会の生活をするようになってから、久しくそのような自然の饗宴から遠ざけられていたのである。それで医師に勧められるまでもなく、私はたいへん喜んでこの南国の海の生活を十分に楽しみたいと思っていたのであった。

ここでは町の魚屋が、朝早く船からあがった魚を真直に持って来てくれるので、強い魚などは台所へ来ても、まだ盛んに口を動かしているくらいであった。それで魚屋によく頼んでおくと、いくらでも新鮮な珍らしい魚が手に入るのであった。ここに移って初めての朝、まず温泉に浸ってそれからしばらく机に向っていると、魚屋が来ましたという知らせがあった。軽い好奇心からちょっと裏口へ出て見ると、小さい盤台の上にいろいろな珍らしい魚がいっぱいに並んでいた。それを見たとき、私は何よりもまずその色彩の美しさに、思わず驚きの眼を見張ったのであった。この海で有名な室鰺の水からあがったばかりの姿は、初めて見たのであるが、力いっぱい張り切るように肥った皮膚が、鮮緑色に輝いているのがいかにも美しかった。そして黒鯛とか鱸とかいうありふれた魚までも、ここではみな燦爛たる光彩を放っているのであった。

そのほかいろいろな形も色彩も著しく異っている磯の雑魚が、たくさん並べられていた。それら雑魚たちの名前と料理法とをいちいち魚屋から教わって、これから毎日その一つ一つの味を調べて見ようということになった。魚屋の方も妙に乗気になって、「これはまだ召し上らない魚です」などと言って、妙な魚を持って来てくれるようになったので、一月ぐらいしたら、この海で獲れる磯の魚を一通り食べて見たことになってしまった。

　これらの雑魚は私に今まで持っていた魚の種類という概念をすっかり変えさせてくれた。魚の形といえば、鯛のような形とか、鰯や鯖のような細長いものとかいうふうに分類できるものと思っていたのは、たいへんな間違いであったことが分った。例えば鰺の一種でしま鰺というのは菱形であり、まとうの頭には化石年代の魚の面影があり、いとひきは五辺形の平板の形をしているのである。模様にもまたほとんど無限の変化があって、子供の絵のように、勝手な所に勝手な色の斑痕をつけた魚があるかと思うと、全身が小紋縮緬で蔽われたようなものがおり、全く規則正しい縞模様の魚もあった。その縞にもまた水平なもの、垂直なもの、斜のもの、あるいは上から見るとちょうど鷹の羽のように見えるものなど、いくらでも種類があった。この最後のものには、たかっぱという名がついているのも、きわめて簡明で面白かった。そのうえ色彩がまた非常に豊富で、プリズムで分けたスペクトル光のように、恐ろしく純粋な色があるかと思うと、西洋の古い名画のように思い切って燻んだ色彩のものもいた。これは後に絵に描いて見て分ったことであるが、これらの色彩は変化が速くて、水からあがって半日もたつと、まるでその生彩を失ってしまって、きわめて平凡な色になってしまうのである。まず都会で見る魚の色には、もはや旧の面影がないといってもさしつかえないくらいである。これらの雑魚の種類の豊富さは、まあ極端にいえば、普通に想像しうる任意の形を描いて、それに勝手な色をつけて見ても、そのような魚は一匹ぐらいは必ずいるといってさしつかえないくらいである。

このような雑魚が都に近い海で、全体としてはかなり多数に獲れているにもかかわらず、都会地へは余り送り出されないというのも面白いことである。これらの雑魚の中には、形からいっても味からいっても、一流とされている魚たちに決して劣らぬものが多いのであるが、現在の経済組織の下では、実用的の商品となりうるために必須な条件は、ある程度まで「数が揃う」ということであるらしい。この点今の教育制度と経済組織との間には、共通したところがあるようである。最もそれは当然のことであろう。しかしそのおかげで、漁村に住む人たちにこれらの自然の饗応が存分に恵まれるのは有難いことである。

これらの雑魚はちょうど雑草のようなものである。雑草の豊富な種類と、そのおのおのが持つ特殊の美しさとは、十分に説かれている。雑魚の世界は、雑草の世界よりも単に地域的に広いばかりでなく、生存の範囲が立体的になっているために、その種類と変化とがさらに著しく豊富になるのは当然なのであろう。もっともここでの雑魚というのは、地図にも載らぬくらいの小さい一つの湾の中で、しかも磯に近い所で普通に獲れるきわめてありふれた魚のことを言っているのであるが、それでも初めて漁村に近い土地の生活をする者の眼を驚かすには十分であった。前に「海底九百何十メートル」というような題のドイツの本を見せて貰ったことがあるが、特殊な金属球を作って、その中へはいって海底の動物たちの生活を見ると、まるで想像を絶した奇怪な姿のものがいくらでもうごめいているのである。深海魚の話はもちろん専門外の私らの立ち入るべき筋ではないが、海といっても魚の生息する所は海面に近い所か、海の底と決っているように聞いていたのであるが、実際金属球で沈んで行くと、各層で色々不思議な魚に会うようである。千メートルの海底といえば、水圧は百気圧を越えているはずで、そして日光もほとんど届かぬ永遠の闇の世界である。そのような所にある怪物の世界の姿を想像して見ることも、このごろのような世情の下に生活している人々には、幾分の清涼感を与えるかもしれない。

磯の魚には磯の匂いがあるということはよく聞く話であるが、実際判然とした匂がある。その良い例はかさごであろう。この魚が身体に不相応に大きいあの腭を脹らませていかったような顔をしているのはちょっと滑稽である。肉はかなり強靭で、それに脂が濃いために少しばかり口の中で滑べるような感じがする。この機械的の感触は鯛や鱸などの名流の魚にはないもので、これもいわゆる磯の匂の一つの要素になっているのではないかと思われる。不思議なことには、この魚を食べると私は妙に日本海の年々に目立ってさびれてゆく漁村を思い出すのである。中学時代に一夏をそのような寒村に送ったことがある。難船騒ぎと砂丘の後退とトロール船とに傷めつけられながら、国勢調査のたびごとに何割という人口の減ってゆく村の中で、よくこの魚を食べたものである。その時の記憶がよほど深く脳裏に彫みこまれているためらしいのである。

　トロール船といえば、このごろのように漁獲の方法が一般に進歩してくると、一度に余りたくさん獲れて困ることがあるらしい。実際問題としては、なかなか漁獲の調節などということはできないものだそうである。獲れるだけたくさん獲って、値段を下げたり腐らしたりして、いつでも収支の最後の所では、さんざん苦労して必要以上の労力を費したあげく、手一杯の経営をしてゆくのが、人間の仕事であるらしい。もっともそれは経済的な事業に限らず、精神的とされている仕事にでも、同じようなことがいえそうである。北海道では烏賊がたくさん獲れる時期があるが、烏賊の値段というものは、烏賊の本質で決まるものではなくて、その日の天候で決まるものであるという話を聞いて驚いたことがある。似たようなことはどの魚にでもあるのであるが、烏賊は特に腐敗しやすいので著しいのである。天気が良くて鰑にできる日に比較すると、雨の日の烏賊は値段が十分の一くらいに下ってしまうそうである。先年北海道の水産の学校へ物理の教授になって行ったI理学士が、この問題に手をつけて見たいといってきたことがあった。こういう問題の物理的研究というと、よく誤解されることがある。何かうまい方法を見つけて、手品のように烏賊を鰑にする仕掛けを考えてでもいるようにとられるか、あるいはけっきょく役には立たないが、そんなことをいい立てて研究費でもとるのだろうというふうに解釈されがちである。しかし私たちの採る方法は、この場合ならば次のようにするのである。まず烏賊の肉の一片を皿に載せて、それをゼンマイで吊すのである。肉が乾くと蒸発した水分だけ目方が軽くなるので、ゼンマイがきわめて僅かばかり縮む。それを適当に拡大して見ると、烏賊の肉が乾いてゆく情況を見ることができるのである。I君がこのようにして採った乾燥曲線を見せて貰ったが、肉に含まれている水分に二種あって、それがだんだんに取れてゆく有様がよく見えて面白かった。次には全装置を容器に入れて、温度と空気の乾燥度と風の速さとをそれぞれ変えて、この乾燥曲線がどのように変化してゆくかを見るのである。最近知らせて貰ったその結果を見ていると、いろいろなことがちゃんと現われているので面白かった。例えば温度がたいへんきいて、五十度にもすると常温の時の倍以上も早く乾くのに、湿度の方はそれほどきかず、ある程度以上乾いた空気を送るとかえって悪いというようなことが出ているのである。それは表面だけが急に乾いて固まってしまうためであるらしい。けっきょく常識で大体見当のつくことが多いのであるが、科学的の研究というものは、第一歩としては常識の整理であることはいうまでもないことである。そしてそれが実用に役立つかどうかという問題も、この場合ならばさしあたり腐敗を防止しうる程度まで乾燥するのに、最も有利な条件を選び出せば良いのであって、それでもなお経済的に引き合わなければ、肥料にしてしまえば良いのである。その場合この仕事の価値は、事柄をはっきりさせたという点にあるのであって、実際のところ、事柄をはっきりさせるということはそうやさしいことではないのである。

この土地の雑魚（ざこ）も一通り食べ終って大分親しみが出てくると、何だかそれだけでは惜しいような気がしてきた。それで長らく放っておいた絵具箱を取り出してきて、一つこれらの雑魚を油絵に描いて見ようという気を起した。もちろんこの考えはかなり大それたものであることは、描きかけて見たらすぐ分った。最初にまずやさしそうなものと思っていしだいを買ってきた。この魚は鯛のような形で縦に太い縞があるのである。ほかの魚は例えば鯵や鯖のようなものは、どうもあの金属的な光沢がとても歯が立ちそうもないので、まずいしだいを選んだのであったが、それでもよく見ると、色が非常に困難である。地肌が既に複雑な色をしている上に、模様がまた簡単な色ではなく、そのうえ蔭の色が重なり、さらに厄介なことには表面での反射がある。その反射が妙にぬめりとした感じを与えるものらしいのであるが、よく見るとどうも表面が粘液で蔽われていて、その液層の表面からは周囲の色がそのまま反射してきて、それに粘液層の底から反射してくる少し色の違った光が加わっているらしい。どうもこれでは魚を描くことはまず絶望のようである。それでもやりかけた以上はと、良い加減な色をあたりかまわず上へ上へと塗っていって見ると、何だか少し魚らしくなってゆくようである。困ることには、このような鮮魚はすぐ表面が乾いてゆくので、二時間もするとまるで最初の時とは似もつかぬ色になってしまうのである。仕方なく少し投げやり気味にバックを塗ってまず仕上げてしまった。そして魚はその晩煮て食ってしまったが、さすがにあまり美味いとは思わなかった。翌日起きてすぐ昨日のいしだいを眺めて見ると、案外良い出来に見える。魚が側にある時はまるで贋物のように見えていた絵の中の魚が、今朝はちょっと本物らしく見えるのだから愉快である。昨夜一晩中贋物に眺め入っていたので、頭の中にそのような像ができてしまったものらしい。案外一般の人の頭の中にあるいろいろな事物の像は、みな贋物であるのかもしれないという気がした。よく考えて見ると、我々がいろいろな自然の事物について持っている像は、絵とか写真とかいうものを通じて作ったものが多いようである。その贋物に馴れてしまうと、本物を見た時でも、自分の持っている像をその上に投影して見るようになって、かなり大事な点を見落すようにならぬとも限らない。俳句のようなものが、あの短い詩形でちゃんとした芸術になるのも、そのような大事な点を捕えるためかもしれない。もっともそのようなことは十分言い古されていることであろう。

どうも芸術品としての雑魚図譜には閉口したので、珍らしい魚の図譜を作って見ようと、魚屋に頼んでおいたら、さっそく妙な魚を持ってきてくれた。全身が赤い魚で、頭は猿のような顔をしていて、背鰭が非常に長い針になっているのである。この針は激しい毒を持っているので、死んでからもこれに刺されると、二日ぐらいはひどい疼痛に悩まされるそうである。それで普通は獲るとすぐこの針を切り落してしまうのですと魚屋は説明してくれた。一番の特徴は胸鰭で、全身を蔽うくらいの大きさの鰭が孔雀の尾のような形をしていて、そのうえ豹のような斑点があるという念の入ったものなのである。名前を聞いたら、やまのかみという魚ですという。本名はと聞いたら、それが本名ですと魚屋はすましていた。魚もこれくらい変っていると描くのもかえって楽なような気がした。どうせめったに見た人もないのだから色なんか少々どうでも、ただ毒々しく見えるようにという気があったのかもしれない。しかし描きあがったところを見ると、どうも嘘の魚のように見えて仕方がない。非常に変った物を、見たこともない人に、こんなものが実際いるのだと納得させるように描くのは、やはりいっそう難かしいものらしいということが分ってちょっと面白かった。「魑魅を画くは易し」などとうそぶいていた支那の昔の画家は、相手が素人だと思って勝手な熱をあげていたのかもしれない。魑魅だって、内界までも入れた広い意味での自然界には実在の動物なのである。まあそういうことにひとり決めをしておいて、この絵は早々に失敬してしまった。

次にはまとうを描いてみた。これはかわはぎに似た形の魚で、味噌汁の実にするとなかなか美味いものである。この魚は光沢はそれほど難しくはなかったが、そのかわり色が厄介で、妙に燻んで暗緑色をしていた。そしてその下に基調をなす紫色があって、その紫がところどころに顔を出しているのに、ちょっと手を焼いた。もっとも身体の真中に天保銭(てんぽうせん)型の暗紫色の斑点があるので、それを描けばまとうだということは分るはずであるが、その環(わ)がまた妙に難かしい。皮膚の一部がそのように染っているのか、何か黒い環が載っているのか、その区別がなかなかできない。よく見ると、その環の周囲に余色らしい緑がかった黄色の隈取(くまどり)がある。この余色の隈取は色の対照(コントラスト)からくる網膜の錯覚から起る現象であるが、この場合にはそれではなくちゃんとまとうの皮の上に着いている色なのである。もっともこの二つの現象には何か関係があるのかもしれないという気もする。冬彦先生だったらここで何か一つセオリーが出るところだろうがなと描きながらふと思ってみた。

　まとうの次にはめばるを描いてみたが、これも大した傑作にもならず片づけてしまった。それから二三日したら、今度は魚屋がたいへんな難物を持ち込んできた。それはいとひきである。この魚は全体が平たくて、直線からなる五辺形をしている。頭と尾とが左右の角に当り、それを連ねる線から上に二辺、下に三辺がある。そして背鰭と腹の鰭の一部が伸びて、身長の三倍近くも長い糸をひいているのである。もっとも普通店先に出る時には、この糸が邪魔(じゃま)になるので切ってしまってあることが多いそうである。ところでこの魚が難物である所以(ゆえん)は、形よりもその色にあった。全体が銀白色でそれが赤、黄、コバルトなどにきらきらと輝いているのである。その色がまた非常に純粋で、ほとんど完全な単色のように見えるのである。それを白い皿に載せて窓際に置いて、さてよく見るとますますたいへんである。ちょっと眼の位置を変えると、今までコバルト色に光っていた所が真赤に輝いたりするのだから、これはどうしても薄膜による光の干渉の色に違いない。その上に頭の部分に意外に強い鮮かな青色があるのが妙だと思ってよく見ると、それは澄み切った冬の空の色が鏡面反射で映っているのだということが分った。そう思って身体の全体を見直すと、前の干渉の色に混って、この種の反射の光もところどころに見える。これを皆描くとなると、どうもただごとではないのだが、まあ試しの心算で根気よく一々の色を拾って、少し大胆に純粋な色を思い切って塗り始めてみた。個々の色はかなり似たような色が出るので、それに力を得て一気に大体描き上げてしまった。案外うまく行ったかなと思いながら、内心少し得意になってちょっと離れて見直して見ると、まるで何のことはない、下手な千代紙細工のようなものになっているので、すっかり落胆してしまった。それにしてもあまりおかしいので、今一度魚と絵とをよく見較べて見ると、理由はきわめて簡単に分った。それは陽ざしの方向が刻々に変って行くにつれて、魚の各部分の色がまるで変ってしまうのに気がつかなかったためである。この時間的の変化におかまいなしに、次々と違った部分を「忠実」に似せて塗っていったのでは、どうしても嘘になるより仕方がないのである。それにしても死んだ魚が、このように刻々に色を変えていくのは、少々薄気味悪いくらいである。もっともそれは当り前のことには違いないのだが、自分で絵に描いて見なくてはなかなか分らないことであろう。子規が「草花を写生していると造化の神秘が分ってくるような気がする」と言った意味を、私はこのように解釈してみた。

　この魚の持っているところの光の干渉による色彩は、次のようなものなのであろう。表面にかなり透明で薄い鱗（うろこ）からなる薄層があって、その下に銀白色のよく光を反射する皮膚があると、光の一部はその薄層の表面で反射し、残りが内部へはいって行って下の銀白色の面で反射して出てくる。この両者の光の波が干渉を起して色が着くのであろう。ちょうど水面に落した油の一滴が薄膜になって拡がっていろいろの色に輝いて見えるのと同じことである。このいとひきを見ているうちに、今のレーレー卿（きょう）が孔雀の尾や玉虫の翅（はね）の光を研究した論文が、数年前の英国の雑誌に出ていたことをちょっと思い出した。あの特有な輝きも主な原因はこの干渉の色であるということである。レーレー卿のように、英国のあのきれいな郊外の地に立派な邸宅を構えて、その中に実験室を作って、好き勝手な研究を楽しんでおれたら、それが人間の享有しうる最大の幸福であろうという気がする。物理などをやろうという日本の学徒の中にも、それくらいの金持の人もないことはないのであるが、レーレー卿のような生活を楽しもうという人はまだ出て来ないようである。理由はいろいろあろうが、子供の時から、人生は奮闘すべきもの、学問は克服すべきものと教え込まれていることも一つの原因かもしれない。もっともこの種の教育で国民を鍛え上げておいてこそ、戦争にも勝つことができ、国力の充実もできるのであるから、今の教育を決して悪いというのではない。

生れて初めての南国の海辺の生活で、そこの雑魚(ざこ)の豊富さに興味をひかれて、いろいろなことを思い出すままに並べてみたが、内容があまりに雑然としているのには我ながらおかしいくらいである。あまり雑魚ばかり食べていたので、脳味噌の細胞が雑魚の細胞で置き換えられたのではないかと少々不安にもなる。

（昭和十二年二月）

墨色

私が初めて墨色というものに興味をひかれたのは、友人金沢の日本画家N氏の家でのことであった。N氏は洋画出身であるが、その後支那の古い文化に興味を持ち始めたのが動機で、今では日本画家としての方が通りが良い。二十年近くも前のことであるが、私が金沢の高等学校に在学時代、初めて知り合いになったころは、支那の仏教典籍に凝っていて、鳥巣禅の図などを描いてくれたことがあった。その後大学へ行ってからは、私は専門の方の勉強に忙しくなって、しばらくN氏との交渉も途絶えがちになっていたのであるが、五六年前に金沢へ立ち寄った時に、久し振りで同氏の画室を訪れたことがあった。

久し振りの会合で昔の思い出などを語り合っているうちに、N氏は「このごろだんだん墨絵に興味が出てきて、特に墨色の美しさに何よりも心をひかれるようになりました。それで少しばかり研究を始めたのですが」という前置きで、いろいろの墨を持ち出してきた。凝り性のN氏のことだからまた始めたなと思って、私も興味を感じながらその話に引き入れられたのであった。そして予期のごとくにその話は大変面白かった。墨の蒐集家は日本にたくさんあって、その誰もが墨のことでは自分が一番くわしいと思っていられるようであるから、田舎の片隅でこっそりいわゆる唐墨のかけらなどを少しばかり集めているN氏の墨の話などには、あまり誰も権威を認めてくれないようである。それに墨色といえば、墨ばかりでなく硯も重要な因子になるので、それまではとてもN氏の力では蒐集することができそうもなかった。それでもN氏はやっと端溪の小さい硯を一つ手に入れ、唐墨の破片を数片、宋その他の墨も数片は集めていた。蒐集品としてはこれらの品は全く一笑に付せられるものであろうが、私が興味をひかれ、かつ感心したのはその研究態度であった。従来の名墨の研究というのは、その系統や彫刻の図柄の研究が多いので、墨色自身の組織立った研究というものは、きわめてまれかあるいは絶無に近いのだそうである。ところがN氏の研究は全く科学的で、ちょうど物理学者のやり方と筋の上では完全に一致しているのに、ちょっと驚かされたのである。N氏は物理学の方面の教育はほとんど受けていないのにもかかわらず、その研究の心構えは立派な物理学者であった。もちろん器械も装置もほとんどないのであるから、その研究は物理的研究ということはできないが、それだけに氏の「物理的研究」にはいっそうの興味がひかれたのである。

氏は他の条件を一定に決めなければ、ある性質の比較はできぬということをちゃんと心得て、まず用いる硯をきめ、常にその硯で蒸溜水を用いていろいろの墨を磨って見たのである。「磨り方は手加減でいつも大体同じくらいの力で磨ることにしまして」という説明もついていた。そして紙も十分注意して、石粉の全然はいらぬものを使って、その上に濃淡さまざまの墨色が出るような簡単な図形を描いて見るのであった。それをいろいろの墨についてやってみた、その比較を見せられたのであるが、私は初めて墨色の差というものがこれほど著しいものであるかと驚いたのであった。

墨が淡くなると墨色の差が素人にも大変分りやすくなるので、いろいろの程度の青みを帯びたもの、茶色がかったもの、その青みや茶色にも数種の系統があることなど、初めて知った私には一つの驚異であった。それにはもし知らぬ人がこれを見せられたら、きっといろいろの絵具を混ぜたものだろうと思うくらい、はっきりした差が出ていたのである。実際のところ、墨色の差などというものは、きわめて特殊の感覚を持った人にのみ味得できるもので、ちょうど食通の料理自慢のようなものであろうとぼんやり考えていたのであるが、このようにして作った墨色図鑑を見せられて初めて、世の中のことは何でも一応は研究して見るべきものだなと思ったのである。

どの墨がどのような墨色をしていたかはすっかり忘れてしまったが、支那の古い墨の一つには透きとおるような青みを帯びた墨があったが、あの色だけは忘れかねるものがあった。「幼児の瞳をのぞいたような感じというのはこんな色をいうのでしょうね」とN氏もその色が好きであった。良い墨で書いた字は筆力が紙背に徹するといわれているのも、N氏の解釈によると、墨色が透明な感じを与えることを指しているのだろうというのであった。その解釈も面白かった。

　ところでこのような墨色の差が墨のどういう性質に帰因するかという問題、それは誠に大変な問題なのであるが、それにN氏は正直に真正面からとっかかったのだそうである。第一に墨汁中の墨の粒子の大きさに関係があるのだろうという見込みで、医大の某教授に頼んで顕微鏡を使わせて貰うことにしたのだそうである。毎日墨と硯を持って研究室へ通うということは、さて実行するとなるとなかなか億劫なことだったろうと思う。それでもN氏は大分根気よく顕微鏡をのぞき続けたという話であった。もちろん墨の粒子の形が顕微鏡で見えるはずもないので、この研究は何の結論も得られなかった。「どうも粒と粒との連なり工合が少し違うようでしたが」と、N氏は毛氈の上にきちんと坐って、目をしばたたきながら首をかしげるのであった。

　墨は東洋三千年の文化と切り離し得ぬものであるともいえよう。それにこのごろのように科学が盛んになっていながら、墨の科学的研究というものはきわめて少い。たしか以前に化学者の一人でこの問題にちょっと手をつけられた方があったくらいで、その例を除いては、先年亡くなられた寺田寅彦先生の墨汁の膠質学的研究が唯一のものであろう。先生の研究は前に『画説』に紹介したことがあるのでここでは省略するが、墨流しに端を発したこの研究は、先生が亡くなられるまで続いて、ついに未完成の研究として遺されたものである。しかし墨の粒子の大きさや水面に拡がる墨膜の厚さなどの測定もされ、墨と硯との各種の配合で得られる墨汁のいろいろの性質もよく調べられ、特に硯の鋒鋩の研究や磨墨の機構の闡明など、全く手の入っておらぬ研究の広い分野にわたって、開拓されたところは随分大きかった。もっともこの研究は、純然たる物理学の範囲の研究であって、墨色のことなどには全然ふれていない。ただ今後墨色の物理的研究などに志す人があったら、その物理的、特に墨汁を膠質として見た時の性質は、この研究に明示されている方法に従ってやればよいということを示されているのである。

その後N氏とは会う機会がなかったので、この寺田先生の墨の研究の話はまだしていない。今度会って詳しい話をしたらきっと喜ぶことだろうと思う。しかし残念ながらこの研究にはやはりかなりの装置が要るので、画室の片隅でやるという工合にはいくまい。しかしいろいろの墨の所蔵家のところを訪ねて、名墨の墨色をあの墨色図鑑に収めておくというような仕事もまた大切なのである。もっともそれはなかなかむずかしいことなので、前にN氏に会ったときの話では、名墨の蒐集家はめったに磨らせてくれないものだそうである。たとえ千円の墨としたところで、一度に十銭も磨ることはないのであるが、それでもなかなか磨らせてくれないし、本人もまた決して磨らないものだという話であった。それは墨の価値は墨自身の古さ以外に、磨り口の古さということで決るので、新しく磨ることは禁物なのだそうである。あまり意外な話なので思わず吹き出したら、N氏も一緒に笑い出した。名墨の科学的研究もまたむずかしいものである。

ところでこれらの名墨が手に入ったとして、それを磨って得た墨汁について寺田先生のされたような研究を行ったら、それで名墨の特性がすっかり分るだろうか。千古に秘められた墨色の謎は、それくらいのことでは簡単に解かれはしないだろうという気もする。そのわけは、膠質学的に調べた墨の性質は、結局墨の膠質的性質の究明となるのであって、その性質が直接墨色と関係があるかどうかは分らない。そのほかにも墨の物理的性質には調べなければならぬことがたくさんある。現在どうしても昔の支那の名墨のような墨ができないというのも、誠に不思議である。作ってから長い年月の間ねかして置かなければあのような墨色が出ないものならば仕方がないが、単に材料と製法だけの問題ならば、研究の方法はいくらもあるだろうと思われる。

墨の材料はけっきょく煤(すす)の粉と膠(にかわ)とが主なものであるが、そのうち煤の粉の方だけを考えて見ても、実はなかなか大変なのである。とにかく炭素というものは、金剛石にも石墨にも木炭にもなり得るもので、金剛石と石墨とは結晶であるから問題はまだ簡単であるが、一番普通な木炭ようの炭が無定形というきわめて厄介なものなのである。無定形というのはけっきょく誤魔化しであって、詳しく調べたならば、その中がまたいくらでも細かく分類できるものかもしれない。第一木炭の比重というものさえ、測るのは大変なのである。京大のY教授が炭の粉の比重を測定された研究があるが、それによると焼き方によっていろいろの種類のものができるらしい。そのことなどは墨の材料を作る上によほど参考になることだろうと思われる。

ところでけっきょく大騒ぎをして昔の名墨のような墨のでき上るころには、誰も墨なんか使わないような時代になっていはしないかという心配もある。しかし物の色、しかも微妙な色調に関する科学的の研究というものが役に立たなくなる時代は来ないであろう。このごろ外国の良い印画紙がだんだん輸入されなくなって、国産品を使って見るとつくづく感ずるのであるが、どうも色調が悪いようである。感度とか濃淡とかは十分出るにもかかわらず、仕上げた時の色の悪いのは致し方がないようである。

そういえば外国の良い印画紙には墨色の非常に豊富な種類があって、青墨の墨色にも油煙墨の墨色にも似た色調のものが幾種類もある。あの印画紙の色の加減が分るまでは、日本の写真材料もまだほんとうのものにはなっていないといわれても仕方がない。感度とか濃淡とかいうものだけでは、まだ実用品としての写真としなくてはならない。あの名印画紙とも称すべきものの蔭に隠れている色調の研究を、どういうふうにしてやったかを知りたいものである。きっと長い間の地味な土台になる研究があったのだろうということだけは間違いなくいえよう。

色というものは、普通にちょっと考えられるよりも実は非常にむずかしいものである。ペンキの材料になる絵具を作っている会社に勤めている友人の話では、黄色の絵具を作るつもりでやっていると、それが橙色になったりすることが珍らしくないそうである。一定の化学成分をもっている化合物が一定の色になるとは限らないので、ちょっとした不明の原因のために、まるでとんでもない色のものができてしまうことがあるらしい。そんなものを分析して見ても、成分は全く変っていないのである。原因の一つとして、ほんのわずかばかり酸性になるか塩基性になるかというようなこともあるらしいが、そんな簡単な原因ばかりとは限らないので、全くわけがわからずに、良い色になったり、とんでもない別の色になったりすることがあるそうである。どうも科学の力も案外当てにならぬものである。

こんなことを考えてみると、墨色の秘密は急には分りそうもない。ペンキの色も分らぬ科学者に名墨の色が分るはずもないといわれそうである。まあこういう研究は、学問が学問を職業とする人々の手にある間はできそうもない。もっと文化が国のすみずみにまで浸み込んだ時代がくるまでは、このような東洋三千年の文化に一つのピリオドを打つような研究は現われてこないであろう。

（昭和十二年十月）

語呂の論理

先年北海道で雪の研究に手をつけたとき、日本の昔の雪の研究として有名な、土井利位の『雪華図説』と鈴木牧之の『北越雪譜』とを、何とかして手に入れたいものと思って、古書の専門店の方へも聞きあわせたことがあったが、折悪しくどうも手に入らないので困っていた。ところが、何も思わずそういう意味のことを雑文の中に書いておいたら、早速それでは私のところにあるものをおわけしましょうといって下さった人があった。

一人は秋田の人で、文久二年大槻磐溪先生の重刻になる『雪華図説』が送られてきた。もう一人は九州の人で『北越雪譜』の七冊揃いの大変保存のよい本が幸運にも手に入ったわけである。もっともその後、間もなくこの『北越雪譜』の方は岩波文庫に出て、手軽に誰にも手に入ることになったのであるが、こういう本もなかなか面白いものである。『雪華図説』の方は案外立派な研究で、天保時代の日本の自然研究者の仕事も、よく見ると、いろいろ学ぶべき点があるという意味で、特に私には興味があった。『北越雪譜』の方は、昔の雪国の生活の記録がたくさん集っているという点で科学的に見ても大切なものであるが、その一番大切な所以(ゆえん)は、当時の人々の雪害防止策と、現代の東北や越後地方の人々のとっている対策とが、ほとんど同じものであって、現代日本の文化的あるいは科学的の施設が、これらの地方にはほとんど及んでいないということが分る点にあるのである。

もっともそういう話は、雪国出の政治家などがいわれた方が適切なのであって、私にとってもっと面白く思われたのは、『北越雪譜』の中の理論的説明に用いられている一種の論理学であった。徳川時代といっても、天保のころにもなれば、もう西洋の学問も入っているので、特にそのころの先進者たちの頭のなかには、西洋学的な物の考えかた、すなわち現代のわれわれの物の考えかたが十分はいってきていたようである。例えば『天地或問珍』のような本の中の自然現象の説明に用いられている広い意味での論理学は、現在の自然科学に用いられているものと、その骨組においてはまず同じものと見てさしつかえないようである。ところが、この『北越雪譜』の著者鈴木牧之翁は、越後の塩沢の商人で、ときどき商用で上京したときに当時のいわゆる文人雅客と交りを結んではいたものの、その全生涯はほとんど越後の雪の中で送られたものと見てさしつかえない。

こういう北陸の片田舎で育ち、西欧の自然科学的な物の考えかたから、すっかりかけ離れて生長した人の持っている「自然科学」の一面を見るためには、あるいは『北越雪譜』のようなものが、案外良い資料になるのかもしれない。そして私にはこの『北越雪譜』のなかに出てくる論理が、何となく純粋に日本的あるいは東洋的なものという気がして大変面白かった。

第一節は「地気雪と成る弁」であって、天地のあいだに、三つの際（へだて）があって、地に近い温際から地気が昇って行って冷際に至って、温かなる気が消えて雨や雪になるという話が書いてある。この話は、その中に用いられている術語と温度と熱の概念とを訂正さえすれば、すっかり現代の科学の説になるのであって、したがってその骨組だけを見れば、こういう考えかたは現代科学と同じ仲間のものであろう。もっとも牧之翁自身も、「是余が発明にあらず諸書に散見したる古人の説なり」といっているのであるから、ここでは問題にすることもなかろう。

ところで、牧之翁の論理学が躍如として出てくるものは、もっと地方的の現象の説明である。例えば、「初雪」のところには次のような一節がある。

……そもそも越後国は北方の陰地なれども、一国の内陰陽を前後す。いかんとなれば天は西北にたらず、ゆゑに西北を陰とし、地は東南に足らずゆゑに東南を陽とす。越後の地勢は、西北は大海に対して陽気なり。東南は高山連りて陰気なり。

ゆゑに西北の郡村は雪浅く、東南の諸邑は雪深し。……

　この文章の中に用いられている陰陽の考えかたはもちろん支那のものであろうが、それよりももっと興味のあるのは、この片鱗の中に現われている論理であろう。まず初めにこの中に用いられている「ゆゑに」をいろいろに考えてみたのであるが、私にはどうも分らなかった。もっとも「ゆゑに」ばかりではなく、肝心な定理か仮説になるものというのがこの場合は、「天は西北にたらず」「地は東南に足らず」というのらしいのであるが、それが後の越後の地勢とどう連絡しているのか、またこういう仮説がどうして必要なのかが、なかなか了解できなかった。もちろん論理自身をいま問題にしているのではなくて、こういうふうに説きすすめて行く方が物事が分りやすかったらしい牧之翁の頭の作用が、現代の私たちには呑み込めないのである。けっきょく、これは語呂の論理とでもいうべきものであろうという結論に達して、さっさと次へ読み進むことにした。

　ところが、仙台で小宮さんのお宅を訪ねた時に、ちょうど水曜の面会日に当ったことがある。その席上で何気なくこの語呂の論理の話をしたら、同席の長谷川君が大変面白がって、「そういえば北越雪譜の中の雪中の虫のところに『金中猶虫あり、雪中虫無んや』というのがありますね」という話をしてくれた。私はうっかり読み通っていたので、帰ってから早速探してみると、なるほどちゃんとあった。そして、語呂の論理の例としては、この方が簡潔でよいので、その後はしばしばこの方を借用することにした。

「雪中の虫」の説はなかなかの傑作である。およそ銅鉄の腐るはじめは虫が生ずるためで、「錆は腐の始、錆の中かならず虫あり、肉眼に及ばざるゆゑ」人が知らないのであるが、これは蘭人の説であるという説明があって、その次に「金中猶虫あり、雪中虫無んや」というのが出てくるのである。

「雪中虫無んや」の話は、そのときは大笑いになってすんでしまった。そして西洋の自然科学風な考えかたの洗礼をまだ受けていないころの我々の祖先の頭の中をちらとのぞいたような気がして、大変愉快であった。ところがその後よく注意していると、この語呂の論理は案外現代にもいろいろの所で、すました顔をして通用しているということに気がついた。特に驚いたことには、ちゃんとした現代科学の学会の討論などにも、ときどきは「金中猶虫あり、雪中虫無んや」と全く同じ論理が出てくることがあるのである。もっともそういう論をする人を、徳川時代の頭の人と言おうというのではない。恥しい話であるが、現在のわが国の科学界は世界の水準を抜いているように、新聞や雑誌などにときどき書かれていることもあるが、それはどうも余所眼の話で、ほんとうに内部に入って、その学問的地位を冷静に考えてみると、まだまだ日本の学問は世界的の水準に達していないと私には思われる。少し極端にいえば、外国に柿に種が六つあるという論文が出ると、梨には八つあるという論文が日本で一二年後に出るような程度のことがまだかなり多いのである。それからみたら、語呂の論理でも何でも、とにかく一つの見識を持とうというのは、まだ良い方であるのかもしれない。

この三四年来、日本の気候医学の方面で、空気イオンの衛生学的研究が一部で盛んに始められた。ある大学の研究室では、陰イオンが、喘息（ぜんそく）や結核性微熱に対して沈静的に作用するという結果を得て、臨床的にも応用するまでになっていた。そして陽イオンはそれと反対に、興奮性の影響を与えるということにされていた。ところが他の大学の研究では、イオンの生理作用は、陰陽ともに同一方向の影響があって、ただその作用の程度が、イオンの種類によって異なるという実験的結果がたくさん出てきた。それで学会で、これらの二系統の論文が並んで発表されたときには、もちろん盛んな討論が行われた。ある理由でその席上に連なっていた私は、その方面とはまるで専門ちがいなのできわめて暢気（のんき）に構えて、その討論を聞いて面白がっていた。そのうちにはこういうのもあった。「陰イオンが沈静的に働くということはすでに臨床的にもたくさんの例について確証されている。これは実験的の事実である。それが事実とすれば、陽イオンがその反対に、興奮的に作用するということもまた疑う余地がない」という議論が出てきたのである。これなどは、正しく語呂の論理の適例であろう。もっともこういう立派な学会での討論を「雪中虫無んや」と内容的に同じものというのでは決してないが、論理の形式が同型のものであることは認められるであろう。もちろん、実際は陰イオンが沈静的に作用するという研究結果を得られて、その事実を発表しようとされたのであろうが、それを聴衆に納得させようとしたときに、不用意のうちに、我々の祖先の持っていた表現形式が出てきたのであろう。こういうふうに見ると、語呂の論理は日本人の頭の奥底にかなり強い一つの思考形式として、今もなお残っているものと見るべきであろう。

（昭和十三年十一月）

雷獣

七月十一日の夜、前橋(まえばし)には大雷雨があった。

ちょうど一昨年からの継続事業として、電光観測のために前橋に来合わせていた私たちにとっては、この雷雨は大変ありがたかった。

あとで新聞で知ったことであるが、落雷の被害も相当多く、前橋市内でも四ヵ所に落雷し、付近の農家が一軒そのために焼けたそうである。それに突風がひどく、屋根をすっかり吹きとばされた家も二三軒あった。

三階建の建物の屋上に作ってある私たちの観測小屋は、すさまじいこの風のために、みしみしと鳴った。宿で夕食をやっとすませ、豪雨をついて観測小屋へ馳(か)けつけてみると、大粒の雨が窓ガラスを激しくたたいていた。コンクリートの屋上はプールのようになり、その水の面を篠(しの)つく雨が、いっぱいに白い雨足をたてていた。夕闇はすでに濃く、もう写真を撮るに十分な暗さである。

初め榛名(はるな)と赤城(あかぎ)の間に見えていた電光は、そのころになると、もう前橋の街をつつんで、ひっきりなしに、全天に光っていた。雷雲が頭の真上に来ているので、雲の形はもちろん分らない。ただ雲の上をとぶ電光が絶え間ないので、ほとんど空一面が始終はたはたと光りつづけ、乱雲のちぎれが濃淡さまざまに黒く浮いて見えた。

この雲のかなたをとぶ電光のために、雲が一面に光って見えるのを、幕電と呼んでいるが、この幕電が、時間的にも空間的にも絶え間なく変化して光っている。それは一種の光の音楽ともいうべきものである。もちろん、音の音楽もそれに和しているので、高低さまざまの雷鳴が重なり合って、頭上いっぱいに響き渡っている。

この光と音との音楽を背景に、時々落雷電光が、ぎらぎらと輝く線条となって、雲の底から真直ぐに地上に達する。初めのうちは、電光は雷雲のよせて来る側にだけ見えていたが、やがて雲が頭上に来ると、四方にめちゃめちゃに火の柱が立つようになる。それに雲から雲へとぶ電光が、水平にまた斜めに雲の切れ間を縫ってとぶ。この時期になると、雷鳴と放電との時間間隔などはもちろん測れなくて、光と音とはただもつれ合うばかりである。こうなると、観測小屋の中は戦場のような騒ぎとなる。

観測の主な仕事は、この線条電光を回転写真機と静止写真機とで同時に撮って、その生成の機構を調べようというのである。もちろんそれくらいのことは、外国ではもうとっくになされているが、ただ我が国の電光についての詳しい調査がまだないのである。

十数年前から、ションランドは南阿のヨハネスブルクで、電光の研究を始め、十年近くも観測をつづけている。そして電光は、実験室内で見られる普通の電気火花よりも、ずっと複雑な経過をとってできるものであることを明らかにした。この科学的研究によって、電光のでき方はむしろ神秘的であることが分ったのである。

レンズを速く回転することによって、電光のできて行く経過を詳しく乾板上に撮ってみると、一瞬の電光の中に、万般の変化が見られる。多くの場合、最初に先駆放電と呼ばれる火の玉が、雲の底から非常な速さで落ちてくる。初めはそれがすぐ止って消えるが、一万分の一秒もたたぬうちに、また引き続いて同じような火の玉が、前の道を通って落ちてくる。今度は前よりも少し進んで消えるが、また次の火の玉があらわれる。こういうことが何十遍もくりかえされて、ついに火の玉が地面に届く。この先駆放電の現象の進行はあまりに迅速なために、写真の上でも、一つの火の玉が雲から地面まで落ちてくるように写ることが多い。

このようにして火の玉が地面に達すると、その瞬間に非常に光の強い放電が、地面から雲に向って進む。その速度は光の速度に近いくらい大きい。この放電が普通に落雷電光となって見えるのである。ところでたいていの電光は眼には一本と見えても、こういう現象が百分の何秒という時間間隔で、数回同じ道に沿って起っているので、全部で十分の一秒程度かかって、やっと一つの落雷が完了するのである。一つの落雷電光が、数本の電光から成っていることは、今世紀の初めごろからすでに分っていた。しかし初めに火の玉が雲から落ちてくることは、この研究で初めて分ったので、世界中のこの方面の学者たちをいたく驚かしたのであった。

初めてこの論文を読みながら、すぐ連想されたものは、子供のころから聞かされていた雷獣の話であった。雷獣の話も民俗学的に調べてみたら、随分種類と変化とが多いことであろう。しかしそのうちで、火の玉のようなものが雲から落ちてきて、それが地面に達すると、雷獣が天に馳け上るという型式の話がかなりの部分を占めているように思われる。

普通の通俗科学書、特に迷信打破を目的とするような書物では、雷獣の話などは一笑に付されることが多い。特に親切な場合でも、落雷によって樹木の表面につけられた傷を、何か獣が馳け上った爪痕とでも解釈したのであろうという程度のいわゆる科学的解釈がなされているくらいである。もちろんそういうことも一つの理由と考えられようが、しかしションランドの得た結果を、少し稚拙な文学的表現で言いあらわすとしたら、この雷獣の伝説と非常に似たものになることは、一応考えてみてもよいであろう。

それについては、一つ面白い資料がある。それは、今度の雷観測隊員の一人、東大のH教授が、前橋の故老の一人から聞かれた話である。H教授を雷の博士と見たその老人は、「一体雷様というものは、火の玉が雲から落ちてきて地面に届くと、火柱が立つような気がしますが、そんなことがあるものでしょうかね」と言って、H教授をひどく面くらわせたのであった。

先駆放電の断続時間、すなわち火の玉が雲から落ちてきて地面に達するまでの時間は、普通百分の一秒あるいはそれより少し短いくらいの程度である。これはそのように相当短時間内の現象ではあるが、下手な科学的訓練などをうけない純真な人間の眼は、案外その程度の迅速な変化でも認識し得るのかもしれない。特に昔の人の生理的にも精神的にも健康であった眼には、あり得ない話ではないような気もする。

少し話が昔すぎるが、アルタミラの洞窟に描かれた野牛たちの姿が、その疾走の足の形をよくとらえていることはあまりにも有名である。獣たちの疾走の時の足の運び方は、現代人には高速度活動写真のたすけをからずには知られないが、原始人類の眼には見えたのである。もっとも先駆放電が地面に達した後、主放電が光速度に近い速度で上方にのび上る方は、いかに原始人類の眼にも、「火柱が立つ」ようには見えないはずである。しかしその方は、火の玉の落下に沿って、注意が電光の根本に注がれた瞬間に放電が起ったとすれば、十分解釈はつくであろう。

こういうふうにいうと、昔の日本人の雷に関する知識が、本質的にはひどく科学的であったというふうにとられるかもしれない。しかし一方、電光の形そのもののような一番明瞭な事柄が、著しく誤って伝えられていたこともまた興味のある点である。昔の電光の絵といえば、ほとんど例外なく、直線の折れ曲った形、すなわち稲妻型である。我々の祖先たちは、誰もがあの稲妻の絵で電光を考えていたのであろう。しかし実際には、あのような稲妻型の稲妻は決して存在しないのである。

今までに我が国で撮られた電光の写真の中にはもちろん、英国の中央気象台で世界中から集めたたくさんの電光写真の蒐集（しゅうしゅう）中にも、稲妻型の電光は一本も見当らない。ただ所々で枝分れをしている点が稲妻型と一致しているが、電光の主幹や枝の形そのものは、くねくねと細く曲っていて、直線とはおよそ反対の性質を示しているのである。もっともギリシャの電光の絵も、日本のものと全く同じ稲妻型をしているところを見ると、ある天才的な画家が、あのいわゆる稲妻の形をもって、ぎらぎらと輝く力強いそして迅速無比な電光の姿を表現したのが伝わったのかもしれない。それだとしたら、昔の人々のうちで、絵や文学のような文化的所産に縁の近い人々の間に、著しく間違った電光の形が伝わり、無智な農民たちの間に、電光の本質と一脈通ずるところのある雷獣の伝説の産れたことは、面白い現象である。

電光が稲妻型をしていないことくらいは、一度見れば分ることで、もちろんそれに気づいた人も幾分はいたことであろう。しかしこの自然現象の中でも特に美しくそして神秘的な電光、それは夏の景観のうちで最も魅力のある神の啓示であるが、それをそのままの姿で見ない人が、案外多いようである。

正規の熱雷が少し早めにきた場合などは、その過ぎ去った後には、夕闇の清澄な空気が残る。赤城の裾が緑に長くひいて、さまざまの姿の立木や農家の数々が、遠く小さく点々と見える。大気は冷く、たそがれの光につつまれた緑の山野は青く澄み返り、空気までが淡いアクアマリンの色を帯びてくる。

観測小屋の窓からじっとその景色を見ていると、街も山野も皆清冽な水底にあるような気がしてくる。時々はその水のように冷く透明な大気を破って、少し紫色を帯びた細い電光が、銀線を立てたように、名残りの顕示を贈ってくれることもある。

風が死し、音もないこの一時は、しばし人間の世界を離れた姿である。アルタミラ洞窟の野牛や、遠い昔の雷獣の夢は、この雰囲気から産れた根もない話かもしれない。

(昭和十七年七月)

ツンドラへの旅

十月の初め、急に樺太(からふと)へ行くことになった。目的は、樺太の北、敷香(しくか)の町近いあるツンドラ地帯で、冬期間の凍上を防止したいという問題が起って、その予備調査をしようというのであった。一行は某省のA技師と、私と、私の方で凍上の実験を主としてやっているS君との三人であった。

十月の宗谷(そうや)海峡は、もう海の色も冷く、波がざわざわとざわめいていた。朝八時に稚内(わっかない)を立って、夕方の四時に大泊(おおどまり)に着くまでの間、私は御免をこうむって、ベッドの中にもぐり込んでいた。そして今度の仕事について、ゆっくりと、シベリアにおけるロシアの凍上対策のことなどを思いみていた。

幸い天候に比較的恵まれていたので、だいたい予定の時刻に大泊に着いた。船の上から見た大泊の町は、禿山(はげやま)の低い連山を背景にもった、荒れた色の港町であった。

大泊から樺太庁の鉄道にのりかえた私たちは、薄暗がりの中に豊原(とよはら)へついた。敷香の方へ行く旅客たちは、夜行列車というものがないので、どうしても豊原で一泊しなければならない。私たちも駅前の三階建の大きい宿屋に泊ることにした。夕暮の豊原の街は、広い道路をはさんで、何か乾燥したような色彩の家が並び、満州の新しい街のような感じがした。

豊原から敷香まで、オホーツク海の沿岸を縫って脈々とつづいている鉄道は、地図の上では大した距離にも見えない。しかし樺太の汽車は、この間を十一時間かかって走るのである。朝八時に豊原を立った私たちは、どうしても夕方暗くなるまで、このごとごとと走って行く汽車の中で、じっとしているより仕方なかった。それでも二等車はほとんど満員で、乗客の多くは、この事変で新しく活動を開始した樺太の工業に関係した人々のように見えた。

スチームのない客車のこととて、ストーブが設えつけてあったが、それにはまだ火がはいっていなかった。朝もう薄氷のはり始めた樺太では、この火の気のないストーブの鉄の肌が、妙にうす寒く見えた。

豊原を出ると間もなく、汽車はもう荒れた未開墾の原野の中を走っていた。S君の話によると、領有当時の樺太は、このあたりはもちろん、大泊のすぐ近くまで、野も丘も一面に亭々たる針葉樹の密林に埋めつくされていたのだそうであるが、今はその面影もない。「このあたりは、更生後十年くらいのものでしょう」という話であったが、この天然更生の途上にある荒野の姿は、私には物珍らしく、またその色彩が非常に美しく見えた。
ちょうど晴れていたので、樺太の晩秋の陽が、高緯度の土地に特有な景色を鮮かに描き出していた。草原の草は既に土黄色に枯れ、陽の当った所は鬱金(うこん)色に光っていた。ところどころには灌木(かんぼく)の茂みがあって、それも代赭(たいしゃ)の色に枯れかかっているのに、まれにまじる白樺と柳だけが、とび抜けて鮮かな色彩をもっていた。白樺も柳も激しい北国の自然と闘いながら、その細い幹を辛うじて伸ばしているように見えたが、その葉の色には、さすがに若木の喜びがあった。絵具をもってきたら、あの青磁色を中につつんで、外側を淡卵色にぼかした柳の姿をうつしてみたかったと思うくらいであった。

この華かではあるが落着いた色彩の絵巻に、強いタッチを与えるものは、グイ松の濃い緑であった。グイ松は樺太の特にツンドラ地帯に特有な落葉松(からまつ)であるが、この原野のものはどれも背丈けは一間から二間に満たないもので、眺めの邪魔になることはなかった。そしてどれも均整のとれた姿であった。

開墾をするには惜しいようなこの美しい荒地の景色を窓外に眺めながら、私は駅で買ってきた樺太叢書(そうしょ)の『ツンドラ』を読みかけた。樺太叢書といえば、前の長官の棟(むね)居(すえ)さんの話を思い出した。棟居さんは樺太の美しさを愛し、こういう土地に住む人たちに新しい文化をつくり出させ、そしてこの土地に落ち付かせねばならないと、いろいろ努力をされたそうである。樺太叢書などもその一つの仕事であって、いつか棟居さんから、「岩波新書で貴方の『雪』を読みました。ああいう本を是非樺太でも出したいと思って樺太叢書を作りました」という話をきいた。それでこの叢書は、岩波新書と形も印刷も体裁も、定価までも全く同じなのである。

このささやかな因縁を思いながら、私は『ツンドラ』を熱心に勉強した。半生をツンドラの研究に捧げた菅原氏のこの本は、小冊子ながら、ちゃんとした正統な知識を与えてくれた。樺太のツンドラは、シベリア奥地のツンドラなどとは少しちがって、むしろ高位泥炭土といった方がよいものであることも初めて知った。

何万年もあるいは何十万年もの太古のこの北の国の荒原を心に描いてみる。緻密な粘土の層で排水をさまたげられた瘦せた土地に、冷い水がたまる。寒くて湿気の多いこの土地では、土壌は苛烈な風化作用を受けて、強い酸性となり、植物の生長を阻もうとする。しかしそこにもなお生命を求めて、みずごけやすげのような可憐な植物が、湿地をおおうて繁茂する。やがて厳霜のおとずれとともに、これらの草々も白く枯れるであろう。そして晩い春を待って、またその上に緑が萌え出てくる。こういうふうにして積り重った植物の遺骸は、気温が低いために腐敗することもできなくて、年ごとにその厚みを増して行く。

このようにしてできたツンドラの層は、樺太でも厚い所では十メートルにも達している。そしてその底部のものは、上からの圧力でじっとおされたまま、長い年月の間に、徐々に炭化して、泥炭にかわって行く。植物の遺骸がいつまでも腐敗することなく、ただ年月の力によってのみ、いつの間にか徐々に炭化してゆくというようなことは、別に何ということでもないが、妙に私には心に残るのであった。

落合をすぎると、急に線路が悪くなる。何でも最近私鉄を買収したばかりで、手入れがまだできていないということである。今朝、手に入れた樺太の新聞の片隅に、それに関した面白い記事を見つけて、三人でちょっと愉快になった。それは、豊原、敷香間に夜行を通してくれ、そうすれば内地へ直行ができて一晩助かるからという要求に対しての、鉄道の答であるが、線路がまだ悪くて「夜間運転のごとき危険なる」ことはとうていできないというのである。なるほど、夜行列車の危険は匪賊ばかりとは限らないのだと知って、皆で苦笑した。

汽車はこのあたりから、内淵川流域のツンドラ地帯にかかる。

車窓から見たツンドラの広原は、非常に清らかな感じのものであった。この感じは、その後ツンドラの中へ踏み入ってみて、ますます深められたのであるが、実に意外であった。見渡す限りの平坦な草原は、濃い橙黄色を基調として、ところどころに茶褐色と白緑との斑点が、ぼかし染めに染め出されていた。茶褐色のところは、阿寒の国立公園で珍重されているいそつつじの灌木の叢であり、白緑の色は、みずごけが毛氈のようにふくらみ茂っているところである。その間にグイ松のかなり大きい立木が、ツンドラの絨毯をつきぬけたように、乱立して無雑作に立っていた。そのグイ松のほとんど全部が、立ち枯れの木であって、樹皮はもういつの昔かにとれてしまって、灰色にしゃれた木の骨だけが立っていた。中には風雨に倒されて、ツンドラの草原の中に、半ば埋れて横たわっているものもあった。

これらの立ち枯れのグイ松たちは、いつかの樺太の全山を襲った松毛虫の被害の名残りだということである。しかしこの美しいツンドラの中に、遠い昔の繁栄を思わせる廃墟の石のように、静かに立っている灰色の木の遺骸を見ていると、ツンドラ生成時代の太古の夢が心の中によみがえってくる。

この土地のツンドラが、まだ今日のように発達しなかった以前には、これらのグイ松は蒼々と繁って、この平原をおおっていたことであろう。沼沢地に初めにできた低位泥炭の上に、これらのいわゆる過渡森林が発生し、それが密林となって土地をおおって繁茂していた時代には、誰が今日の姿を思い見たことであろう。しかししげりにしげった森林の下には既に暗い陰影ができていたのである。繁茂した枝葉の陰影のために、土地は再び湿潤となり、植物の遺骸の堆積はますます厚く緻密になって行く。そして植物の栄養分に乏しい状態が再び訪れると、前の日のグイ松たちは、もうその覇権を名もなきみずごけどもにゆずって、この土地からその姿を消して行くのである。

こういう目に見えない恐ろしい時の力と自然の力とを車窓から眺めながら、私は『ツンドラ』を読みつづけた。晩秋の樺太のうつりやすい天候は、もう空一面を鼠色の雲でおおっていた。

少しつかれて眼をとじていた私を、A氏がよんでくれた。「白鳥湖が見えます」というのである。いま少しすると白鳥が群れきて遊ぶというこの湖は、ただ一面の鉛色に静まりかえっていた。そしてその周囲には茶色に枯れたよしが密生していた。渚となぎさ名づくべきものが少しも見られない湖は、いかにも人界から離れた感じを与えるものである。そういえば、この湖の姿も色も、全体の調子が生命の世界から遠く離れたものであった。よしの切れ間に白い水が光って、その辺に白骨のようにしゃれた流木がたくさん漂っていたことも、この感じを強めるのに役立っていたのであろう。白鳥などという鳥は、パリの公園の池の中よりも、こういう湖においた方が、ずっと綺麗きれいに見えることであろう。あるいは今に白鳥が来なくなって、この湖に白鳥湖という名だけが残った方が、もっとふさわしいかもしれないとも思ってみた。

落合を出てから、名ばかりの駅と、その周囲の淋しい町とのほかは、人間の手の入ったあとがほとんど見られない土地を、汽車はごとごとと走って行った。そしてようやくにしてオホーツクの海へ出た。しかしその海も鉄色に暗く、波だけが白く荒れていた。

敷香へ大分近くなって、知取という町へ着いたころは、もうすっかり夕暮の景色になっていた。ここはこの付近では比較的大きい港町とかで、プラットホームから防波堤なども見えた。海はますます荒れていた。厚い層雲がひくく全天をおおい、ただ水平線の近くだけが晴れていた。その晴間は、薄紫を帯びて青く光り、冷くて透明な感じに見えた。この高緯度の土地に特有な美しい色の空と鉛色に重い層雲との境は、ひどくきわ立っていた。

プラットホームに下り立ってみると、風は寒かった。ホームの石畳の上には、たくさんの荷物が投げ出してあった。ランプのほやが藁づとの隙間から見えていたのも、樺太らしい印象であったが、それよりも私には、野菜を入れた籠の方が強く心に残った。籠の中には、しなびた玉葱と、半分腐った茄子とが一ぱい詰っていた。もうこの時期から、このように野菜に苦しんでいるようでは、冬のことが思いやられる。厳寒地の生鮮蔬菜の貯蔵の問題は、満州などでも大分騒がれているようであるが、樺太の北のはてではどうなっているのであろう。その研究が低温科学の一つの問題として、本式に採り上げられる日を、そう便々としては待っていられないような気持になった。

目的地に着いた時は、もう真暗であった。闇の中で迎えの馬車に乗せられて、これもまた真暗な道を大分行って、やっと宿へ着いた時には、さすがにほっとした。

宿は案外にちゃんとした家であった。つい近ごろまではすっかり淋れ切っていたそうで、部屋などもひどく傷んではいたが、調度や立て付けの端々に、昔のこの町の繁栄の名残がしのばれるような家であった。恐ろしく立派な木を使った一間幅の板戸がはいっていて、その板目が黒ずんで光っていた。風呂が沸いているというので、三人は大喜びで風呂場へ行った。その洗面所の流しにも銅がはってあり、傍に立派な厚い銅の湯沸しが置いてあった。思いがけない土地に、思いがけぬものを見たという感じであった。

次の日は朝早く起きた。

空は一点の雲もない快晴であったが、地の面には一面に霜が真白くおりていた。風のない清々しい冷たさの朝であった。

いろいろ用事だの打合せだのをすませて、いよいよツンドラ地帯の工事場へ出た時は、小春の陽が背にあたたかい、恵まれた日になっていた。工事場はもうツンドラをはがして、下の真黒い泥炭がむき出しになっていて、凸凹と歩きにくかった。それでも今が樺太で一番の乾燥期で、この時期なればこそツンドラ地帯に踏み入ることもできるが、雨期になると、ずぶずぶと足が沈んでどうにもならぬ土地だという話であった。

ツンドラをはがすと、その中には、グイ松の枯れた根が縦横に走っていた。これらの根も、いつの昔からもうその生命を断っていたのか分らないが、ツンドラの中では、腐植することもなくて、昔のままの姿で掘り出されていた。腐植酸のために酸性の強められた水が下の泥炭層に浸みているので、グイ松の根はなるべくその場所をさけて、地表すれすれに新しいツンドラ層の中を長くのびて走っていた。それでたくさんの長い根は、その木の根もとを中心にして放射状に水平にひろがり、蛸が八方へ足をのばしたような恰好になっていた。このようにしてまで、その最後の生命を護りつづけていたグイ松たちも、ついにみずごけなどの遺骸のために窒息させられることになったのであろう。

掘り出されたグイ松の根は、うず高くつみあげられ、そういう堆積が所々方々にできていた。それらは焼却するのが一番良い方法だということで、それぞれ火がつけられていた。火勢が強くなると、その中にはがされたツンドラがどんどん放り込まれていた。

ツンドラの平原は、見渡す限りどこまでも平らであった。そしてところどころに見える立ち枯れのグイ松の遺骸のほかには、眼に入るものとては何もなかった。それは人間の生活からは全くかけ離れた景色であって、全平原が生命にみちているはずなのに、全く生命のない荒野という感じであった。ツンドラを焼く煙は、その荒野の表面をはって、低く流れていた。空はいつの間にか、また鉛色の雲でおおわれていた。それはいかにも、いつのことかも知られぬ遠い昔の植物の遺骸を火葬に付しているという景色であった。

現場の調査も終え、泥炭やその下の緻密な粘土層、それは『ツンドラ』で知り得たところの水を通さぬ基底地層のことであるが、それらの標本も採った。それから土工たちの激しい労働の様も見た。土工たちはこの時期にもなお半裸体の上半身に汗をかいていた。そしてトロッコのきしる鋭い音と、親方の激しい声とがもつれあって、働く人たちの間を縫って流れた。案内のA氏は、「これでも今はたいへん良くなっているので、皆喜んで働いていますが、昔ならさしずめ監獄部屋というところでしょうね」と説明してくれた。

目的の仕事は大半片づいたので、少し高みの方にあるまだ手のつかぬツンドラ地帯を見に行くことにした。

夕闇は大分迫っていたが、このツンドラ平原に足を踏み入れた時に、私はその美しさに魅せられて、思わず立ちどまった。

遠くから見た時には、一望平滑の土地とのみ思いこんでいたが、来てみると、わずかばかりの軟かいふくらみの連続になっていた。それはみずごけやすぎごけが団阜状に堆積しながら生長するためにできたものらしい。その上を歩くとふかふかと柔かくしずんで、ちょうど厚い蒲団(ふとん)の上を歩くのと同じ感じである。それはまさに綿の上を歩くのと同じはずである。案内の人がツンドラの表層を深さ二尺くらい掘り起して見せてくれた。それはほとんど長くのびたみずごけばかりの集積で、その一本を見ると、下の方はもちろん遺骸であって、白く晒(さら)された繊維になっていた。そしてその上端だけが薄緑に生きていた。ある京都の商人がこのツンドラの表層の綺麗なところだけを集めて、脱脂綿の代用品として売り出しているという話であるが、それだと、文字通りに数尺もつみ上げた脱脂綿の上を歩いているわけである。

薄緑のみずごけの毛氈(もうせん)の上には、ところどころに丈(た)けひくいいそつつじと木フレップとが、入り乱れて生えている。木フレップというのは、こけももの一種で、ちょうどこの時期には、丸い真赤な実をたくさんつけていた。それにところどころにまじるすぎごけの団阜が、藍白の生毛を見せていた。

グイ松もたくさんあった。この土地へ来ると、グイ松は高さ三四尺がとまりで、葉はもう真黄色になっていた。どれも高山植物に特有な、ととのった形をしていて、そのまま盆栽になるような姿であった。みずごけの中には、実生のグイ松もたくさんあった。背丈けが四五寸にも達しないこれらの可憐なグイ松も、すっかり黄葉していた。みずごけの薄緑と、すぎごけの藍白とが地の色をなし、その中にいそつつじの褐色とグイ松の黄がまじり、木フレップの真赤な実が点綴されているこの景色は、全体に夕暮の錆びを帯びていた。それは、中欧の古城に秘められた、ゴブランの壁掛けを連想させる景色であった。

そのほかにも、名の知れぬ高山植物めいた草が、灌木のかげなどにたくさんあった。考えてみれば、これらは皆雑草なのであるが、その中に下り立った者の眼には、周囲の景色が、雑草の一本もないよく手入れされた庭園のように見えた。私たちは、その中を遠くまで歩いて行った。ツンドラの草原は、どこまで行っても、清潔で美しかった。京都の苔寺の庭から人間的要素を全部取り去ったならば、この晩秋のツンドラの原に似たものになるであろう。

陽が落ちて、地平線の上はまた薄紫に染まり、その上が青磁色にぼけていた。私たちは暗くならぬうちに宿へ帰るべく道を急いだ。宿の近くになって、広い道を正面に見るところへ来たら、風がその道を真直に、私たちの方へ向って吹いてきた。そして夕闇の行手のむこうに、さっきの土工たちが、一列になってこの道を横切るのが見えた。宿舎へ帰るのであろうが、それにしては、あまりはずんだ足取りでもなかった。広い道の、両側の背のひくい家も、道を横切る土工の列も、皆一色に黒ずんで、色彩のない世界であった。間もなくその列も姿を消し、あとは私たちのほかには、ほとんど人通りのない広い道であった。

宿へ帰って、またツンドラ地帯に特有な、醤油(しょうゆ)色に黒ずんだ水の風呂にはいった。ツンドラ地帯では、排水溝に流れる水も、所々にあるたまり池の水も、この地帯を流れる川までも、皆赤黒く色がついているのである。多量の有機分が膠質(こうしつ)状にとけこんでいたり、腐植酸がたくさん含まれているためだということである。この土地に住む人たちは、外に水が得られないので、飲料水としてもこの水を使っている。別に有毒ということもないそうであるが、あまり気持のよいものではない。

次の日は朝早く、この付近にある小さい測候所へ、気温と地中温度との資料を貰(もら)いに行った。測候所だけに、建物はこぢんまりと綺麗(きれい)にできていたが、ちゃんとした観測者は、まだ若い所長さん一人だけであった。あとは小学校を出たくらいのほんの手伝いの子供たちが、男女合せて三人ばかりいるだけのように見えた。

訪ねた時は、その所長の人は、ちょうど無線の気象電報を受けているところだという話であった。しばらくして出て来られたので、私は来意をのべて、そして「お一人で無線も受け、観測もされ、資料もまとめられるのはたいへんでしょうね」ときいてみた。「こんなところですからそれも仕方ありません」と言いながら、所長さんは、冬の観測のつらさを語ってくれた。地中温度などは、雪をとりのけておいて測った観測値も必要なのであるが、それはとてもできないということであった。それどころでなく、朝の六時の観測の時などは、真暗な中を、吹雪をついて、吹き溜りの中を泳ぐようにして、やっと露場へたどり着くこともあるそうである。そして懐中電燈の弱い光をたよりに、冷い雪を何尺もかきわけて、地中温度用の寒暖計を埋めてある場所を、やっとの思いで探しあてる始末だという話であった。

地中温度表の中には、一つ二つ少し妙な値のものもあった。その表を説明しながら、所長さんは、それらの値を気にして、いろいろと弁解の言葉を、主として私を案内して来てくれた人たちに向ってつらねていた。「何分人手が足りないものですから」とか、「ここは風の向きがちょうど悪いので」とか、一所けんめいに弁解風な説明をしているその所長さんの横顔を眺めながら、私は日本の気象学の発達と、その下積みの石となっている人たちの労苦とを思いはかってみた。この淋(さび)れた町の、しかもはずれにあるその測候所の窓からは、人家はもちろん耕地も見えず、ただ荒れた原野の向うに、落葉松(からまつ)の疎林が見えただけであった。

その日私たちは、敷香の試験場に『ツンドラ』の著者の菅原氏を訪ねた。敷香の町は砂を被(かぶ)ったツンドラの上に立った町であった。そして町の中をも、醤油色の幌内川(ほろないがわ)の河口をも、荒涼たる風が吹き抜けていた。

敷香で一泊した私たちは、翌日の朝早く六時五十分の汽車で帰途についた。相変らず霜は真白におりて、道の上の水溜りは堅く凍っていた。仕事がどうにか片づいた気安さに、私はこの遅い樺太の汽車の中で、ゆっくり腰を落ちつけて、もってきた『大唐西域記』をよんだ。谷川さんの好意で、やっと手に入ったこの本が、ちょうど出発前に届いたので、鞄(かばん)の中に入れてきたのであるが、この汽車の中で読むには、いかにもふさわしい本であった。時々つかれた眼を窓外にやると、冬を間近にひかえた樺太の野と山とが、人間とは全く無関係な姿で次ぎ次ぎと動いていた。

（昭和十六年十二月）

永久凍土地帯

一　黒河への旅

外は零下三十度近い寒さである。

黒河へ向う私たちの汽車は、孫呉（ウースン）の駅を出て既に数時間走っている。車窓に見える限りの雪原は、いつまで行っても平坦（へいたん）で、何の起伏もない。家もなければ立木もなく、薄鼠のただ一色に見える雪の原は、ところどころ朔風（さくふう）に傷つけられて、黒い地肌が出ている。雪にまみれかき乱された枯草がその地肌をおおっていて、夏の荒涼とした曠野（こうや）の景色をしのばせてくれる。

この地帯はその当時特殊区域に指定されていたので、一般の乗客には展望が許されていなかった。しかし凍土地帯における鉄道施設を調べるのが目的だった私たちには、北満の奥地、この無人の世界における自然の姿を、心ゆくばかり眺めることができた。同行のK教授と二人、案内役は当時のハルピン鉄道局の副局長をしていたTである。

Tは高等学校時代からの友人で、心おきのない間柄である。ロシアから譲り受けた豪華な食堂車の中で、Tの威光振りに少々圧倒されながらも、私たちは凍土地帯における思いがけないいろいろな珍らしい現象の話をきいて暖い旅をした。

北海道あたりでも、冬になると土地が凍って、凍上の被害がいたるところに見られる。凍土の深さは一メートル程度に過ぎないが、それでも、この凍上には鉄道は随分悩ませられる。ところが北満のこの土地へくると、凍結深度が四メートルにも達するところがある。そういう所では、春から秋にかけて、弱い陽の光がやっと凍土層を下まで融かしたと思うころには、もう冬がきて、土地は表面から凍り始める。人間も草木も、土の融けるわずかの期間を盗むようにして、その営みをするのである。

しかしわずかばかりの期間でも、すっかり土の融け切るこの土地は、まだ太陽の恩寵をこうむっているといえる。あの荒漠としたシベリアの大平原のほとんど全部は、地の底が氷の融け切る時のない地帯なのである。秋の末晩く、土地が一年間の太陽の勢力の全部を吸いとったころでも、一メートルか二メートル程度の深さまで融けた表土の下は、ずっと底の岩盤まですっかり凍り切っていて、この凍土は永久に融けることがないのである。

こういう永久凍土地帯では、それこそ農民も原始林の木たちも、生涯氷の上に住んでいるのである。地の底まで凍り切った土地の上にいて、わずかに薄く融ける表土層の土から、シベリアの大原始林が生い立つことも驚異であるが、この土地に小麦を栽培することに成功した、ソヴィエトの科学の力もまた一つの驚異といえよう。

シベリアの氷の平原を開発することを一つの使命としたソヴィエトの科学者たちは、もちろん永久凍土層の研究にも十分な力を注いだ。農耕はもちろんであるが、鉱業にも土木にも、凍土の上に人間の営みをするには、その凍土の性質を知らなくては、どのような施設も安全にはできないであろう。

その研究は永久凍土地帯の分布の調査から始められた。そして非常にはっきりした話であるが、その分布区域は、一年中の気温の平均が零度以下である区域と、ほぼ一致するということが分った。気温の年平均が零度である線は、ちょうど北満の奥地を通っているので、旧の東支鉄道の北辺には、この永久凍土地帯が存在するのである。

満鉄ではその点に早くから着目して、数年前ハイラルのずっと北方、大黒河に近い所に研究所を作って、永久凍土層の研究に着手したそうである。いいあんばいに、こういうほとんど無人の境で、極寒の北風と闘いながら冬を越すことが好きだという地質学者がいて、その研究者の努力によって、北満の永久凍土層の性質もだんだん分ってきた。

凍土地帯に市街地を建設するにしても、鉄道を敷くにしても、第一に問題になるのは水である。こういう凍土の底から水が得られるのは不思議であるが、実際には真冬でもこんこんと清水の湧く泉があるそうである。しかも意外なことには、夏の間は、泉も何もないところに、冬になると水が湧いてくるのである。零下三十度ないし四十度という気温の所に湧き出る水は、外へ出た途端に凍ることはもちろんである。それで泉の上には氷の山ができて、それがだんだん拡がってくると、鉄道線路がその氷の山に圧されて困ることがあるそうである。

黒河に大分近くなったころ、運よくちょうどそういう現場が、線路のすぐ側にあった。「ここは毎年そいつにいじめられる所なんだ」というTの説明に、あわてて窓ガラスの曇りを拭ってみると、ほんとうに車窓のすぐ前に、その幻境のような景色が現われ出たのである。

汽車はいつの間にか丘陵地帯にはいったとみえて、車窓の近くに低いなだらかな丘がつづいていた。そして妙な枝振りの木立が丘の上に並んでいた。その丘の麓に泉源があるらしく、青く透明な氷の大きい塊が累々と重り合って、大宮殿のような氷の山となり、それが次第に線路へ押し寄せてきている。先鋒はもう盛土路盤の根もとまで達しているらしい。この氷の大宮殿は、一面に薄い粉雪のヴェールにおおわれているが、所々に露出した氷の大角柱をすかして、内部は真蒼に暗く静まりかえっている。氷雪の世界には氷雪の巨人がすんでいるものである。その巨人の氷の殿堂が、粉雪まじりの寒風の中に、厳然として立っている姿は、人界を遠く離れた土地だけに、ものすさまじい景色である。

西遊記にでも出てきそうなこの景色も、低温科学では「氷上水」という言葉であっさり片づけている。地底に水を透さぬ凍土層がある場合、表面から土が凍って行くと、地下水の出口がふさがれてしまって、下の地下水には強い圧がかかる。それで凍結表土に弱い所があると、そこを破って地下水が湧出するのである。もっともそれは原理だけの説明であって、実際にいつどういう所にこの氷の宮殿が現出するかを予言することも、またその予防策を講ずることも、実際にはなかなか困難である。

無人の境に忽焉として現出する氷の宮殿ならば、嘆賞しておくだけですむが、この現象がトンネルの掘ってある山などに起きると、話が面倒になってくる。トンネルの壁や天井はコンクリートで固めてあるが、あの裏、すなわち土と接している境には、裏込めとして砂利や切込みがはいっている。土地の凍結がある程度まで進行して、地下水の排け口をふさぎ、内部に圧が加わってくると、地下水の一部は裏込めの層に浸入してくる。トンネルの壁は寒さを通しやすいので、この水は壁の裏で容易に凍ってしまう。水が凍る場合、その体積が約一割膨脹することも、その膨脹の圧力が零下数度で既に百気圧近くにも達する恐ろしい量であることも、周知の通りである。これではどんな丈夫なトンネルでも壊れてしまうのは当然であろう。

凍結によるトンネルの崩壊は、北海道ですら珍らしいことではなく、北満地方では頻々と悩まされている現象である。その原因の一つとして、凍上と同じように壁の裏に霜柱が生長する場合もあるが、この氷の巨人の殿堂と同じ現象に起因する場合もかなりあるようである。

地下水が凍ってトンネルの壁を押し出してくるのと同じ現象が、平地に起きることもあってよいはずである。破るべき凍土層の適当な弱点がない場合、あるいは十分な水の補給がない場合には、地下水は地底の一部に溜ったままで凍ってしまう。その場合には、凍結による膨脹のために、地表が盛り上って小さい丘が現出する。低温科学者が簡単に氷丘と称しているこの丘も、シベリアの原住民たちには、神秘の的であったらしい。夏の間には何もなかった所に、急に丘ができたり、しばらくすると、また別の場所がふくれ上ったりする現象を不思議がる方が当然なのである。

ヤクートやツングースは、厳寒の時期になると、大きい動物が地中を動き廻ると信じているそうである。それがこの永久凍土地帯から時おり発掘されるマンモスと結びついたのであって、マンモスのロシア語源は「土の動物」という意味であるということである。ブフィツェンマイエルのマンモス発掘記の抄訳『マンモスを求めて』には、古代の支那人がマンモスを土竜科の一種の地中にすむ動物と考え、陽の目を見れば立ちどころに死んでしまうと信じていたことが書かれている。厳寒のシベリアの曠野をさまよい歩いているこれらの原始狩猟人の眼には、マンモスがところどころ新しく土地を盛り上らせながら、地中を歩いている姿が見え、それが川岸などで思わず表面に出ると、屍体となって現われる「事実」を知っていたのである。

少くも一万年以上永久凍土層の中に、そのままの姿で埋れていたマンモスの屍体が、人間の眼に止るのは、多くの場合洪水などで流し出された時である。コサックによるシベリア占領以来、ロシアの科学院は賞金をかけて、発見の情報を得ようとした。しかしマンモスに対して強い迷信的恐怖心を抱いている住民たちからは、敬遠される場合が多かった。また情報が得られても、完全に近い標本はなかなか得られなかった。そのうちでは、一七九九年にレナ河の三角洲の岸で、アダムスが発掘した標本が一番完全に近いものとして、当時のペテルブルグの博物館を飾ったのである。一万年前のマンモスの肉を、ツングースがその犬に食わせたという話は、この発掘の時のことである。『マンモスを求めて』の著者が、一九〇一年ベリヨゾフカ河の岸で発掘した標本が、今までのうちで最も完全に近いものであった。一部の肉はよく保存され「それが凍っているかぎり馴鹿（となかい）や馬の凍肉のように暗紅色をして新鮮な様子で」あったが「溶け始めると様子はすっかり変って、ブヨブヨになり、色も灰色に変り、鼻をつく臭気を発散した」。発掘の仕事に六週間、周囲のすべてのものに滲（し）みこんだこの耐え難い臭気を、この著者は「マンモスの臭気だと思って」我慢したそうである。肉ばかりでなく「四分の三インチの厚さのある皮の下には、三インチ半くらいの脂肪の層があり」それらもよく保存されていた。

北満の永久凍土地帯でも、マンモスの骨はまれには発掘されることがある。われわれの遠い祖先石器時代の住民たちと共にすんでいたマンモスが、そのままの姿で現出してくるということは、考えるだけでも妙に心をひかれる話である。しかし北満の永久凍土地帯では、その可能性は考えられない。同じく永久凍土層といっても、シベリアの北部ではその厚さが非常に厚く、南に下るに従って薄くなっている。このレンズ型の凍土層は、その終辺近い北満奥地付近ではずっと薄く、温度もまた高くて、零下といってもほとんど零度に近い値を示している。一万年前の友人にあう希望はまずすてなければならない。

二　陸の大洋

黒河への旅は、凍土地帯への一種の憧憬に近い感じを、私の頭に残したようである。翌年の九月には、ハイラル奥地のほんとうの永久凍土地帯へ夏の旅をすることになった。

夏といっても、この地方ではほんとうは秋であって、凍土層の表面から融解が十分進行したころを見はからって、発掘調査をしようというのである。同行のS君は数年前から私の凍土の研究の助手をつとめているので「凍土屋」の七つ道具をすっかり携えて持参してくれた。

満鉄のS氏に案内されて、ハルピンから満洲里行のいわゆる国際列車に乗り込むと、何となく気配がちがっている。ちょうど国境の情勢が緊張していた時だったので、そのせいもあるのであろう。

牙克石（やけし）という名もない小駅で下車して、それから北の草原地帯へは乗り物はトラックだけである。最初の工事区で調査をすることに手配がついているのであるが、そこまででも、トラックを全速力で走らせて四時間近くかかるという話にまず驚かされる。

もし調査中に雨が降ると、帰りはトラックが使えないから、満人の馬車にまる二日とか三日とか乗らなければならないともいう。ここまで連れてきて初めてそんな話をするS氏も人がわるいのであるが、しかたなくトラックに乗り込むことにする。

道路は意外に立派である。誰も人の通っていないその広い道路を、トラックは猛烈な速度で馳ける。二三十分もすると、もう景色がすっかり変ってきた。見渡す限りの草原である。きわめてなだらかな起伏が幾重にもつらなっていて、その丘も平原も全部が背丈け一尺余りの雑草でつつまれているだけである。木はほとんど見当らない。

九月というのに、雑草はもう一面に茶褐色に枯れ、わずかにその基調に残る黄緑の色が、夏の名残りをとどめているにすぎない。行けども行けどもただ一色の草原である。前を見ても、後を見ても、全く同じ草原の姿である。その間に部落が一つもないのだから、日本人の常識ではちょっとわからない。まあ陸の大洋とでもいうより仕方のない景色である。

S氏の説明によると、この陸の大洋が実はこの奥地にいるロシア人や満人の牧場なのである。もちろん天然の牧場であるが、牛を何千頭何万頭と持って、この草原に放牧しておくと、それが自然繁殖をしていくらでも殖えて行くのだそうである。なるほどその説明のように、やがて牛の大群にあった。私は驚いていると、S氏は「これくらいの牛はせいぜい二三千頭くらいのものですよ」と一言に片づけてしまった。

不思議なのはこの道路である。まさか牛のために作ったものではなかろうが、人間のためとすると、誰のためか疑問なくらいである。通る人がほとんどないようなこの土地に、これだけの道路を作るには、何か理由があるのであろうが、何よりも私にはこの十年間の満州の実力の充実が感ぜられた。

二時間くらい走ると、さすがに道路も狭くなり、やがてトラックは道路を離れて、草原の中に入る。草原はこの付近へくると、砥のように平らになり、その中の踏分道をトラックは前よりもすさまじい速力で走る。もちろんトラックでの踏分道である。

昼食後間もなく出発したのであるが、高緯度のこの土地では、もう夕暮が近づき、寒さがだんだん身に浸みてくる。この草原が実は永久凍土地帯なのであって、二メートルの地下には、今でも凍土の層があるのであるから、寒いのも仕方がない。永久凍土層表面の融解部、すなわち活動層はたいていは黒色腐植入粘土であって、水が多いと俗にへどろと恐れられている泥濘に化する。トラックは神経質にわずかばかりの水溜りをも、注意深く避けながら走る。トラックの運転手はなれるほど、猫の額ほどの水溜りをも合掌しながら渡るのだそうである。一たんへどろに車輪をとられたら助からないのである。凍れば鶴嘴も立たないくらい堅くなるのに、融けると馬でも溺れる泥濘に化するという話も、いかにも北国の自然の荒々しさを物語っている。

夕闇が湖水の面のように平らな草原をこめるころ、目指す部落とその近くのロシア人部落との屋根が、はるかに白く光って見えた。これが見えれば安心なのだそうである。部落からなお一時間、目的地の工事場に着いた時は、あたりはもう真暗で、白木の工事場の建物が、ほの白く闇に浮いて見えていた。

先着のS君は、もう二日間へどろと死闘を続けているそうである。深さ二メートルくらいの活動層を掘り起して、基底の凍土盤を露出させるという仕事が、ほとんど不可能に近い難事業であると聞いても、その意味がよく理解できなかった。しかし翌日から実際に立ち会ってみると、その通りなのである。ちょっと穴を掘って底の氷を見るというようなわけにはなかなか行かない。

活動層の上層は黒色腐植土で、これは問題はない。その層をはぐと、下に黄褐色の厚い粘土層が出てくるが、それが融解水で飽水されているのである。底にある凍土層のために水の排け口を止められているので、流出限界近い状態になっている。この状態の粘土は、そのままにしておけば形を保っているが、一度かき乱すと汁粉の汁のようなへどろになってしまうのである。この汁粉の汁は一すくいごとにべっとりとスコップに粘りつくので、一々枯草か何かでこすりとる必要がある。それにちょっとでも休むと、水が浸み出てきて穴の底に溜る。そうなると周囲の壁が崩れてきて、せっかく掘った穴が真黒い汁粉で埋められてしまって、手のつけようがなくなる。六人の苦力が朝からかかって夕方になっても、まだ二メートルの凍土表面に達しない。この調子では夜中までかかるが、苦力たちは銭では夜業をしない。夜食を出せば働くというが、その配給分はない。S君は膝まで没するへどろのなかにつっ立ったまま、苦力を叱咤して四方の壁に土止め板をあてて、中のへどろをかき出してはすてさせる。へどろの水温は零度に近い。苦力小頭は唖然として穴の縁にたっているだけである。

夕方五時ごろになって、やっと凍土に達した。穴の中はもう彩目のわからぬ暗さである。凍土の一片を掘り出しながら、S君は「やはり凍上ですね」と言って渡してくれる。なるほど低温実験室で作っている私たちの凍上の標本そっくりである。氷の薄い層が水平に近く何枚もはいっていて、縞模様になっているのがその特徴である。低温実験室内の凍土や北海道あたりの天然の凍土では、この氷層は透明な氷板になっているか、あるいは霜柱の構造を残している。少しちがうのは、この永久凍土層中の氷層は、氷粒と氷角柱との集合からなっていることである。それも樺太のツンドラの下にある基盤粘土中の氷層状態によく似ているので、実験室内で、再現の見込は十分にある。氷層と氷層との間のコンクリート状に凍った粘土部分は意外に軟かく、未凍結水を多量に含んでいるように見えた。それも凍上実験で知られている通りである。

永久凍土層の成因には二説ある。冬ごとの凍結が累積して地底深くまで達し、万年雪のようになって残っているものだという説と、前世紀氷河時代の凍土が、地殻の変動で埋没して残ったもの、すなわち一種の「氷の化石」であるという説とである。いずれにしても、人類の生れない前世紀でも、土壌凍結の機構は、今日われわれが低温実験室の中で行っている通りに進行していたのである。私たちは少くともマンモスのすんでいた時代から今日まで、そのままの形で残っている氷の標本を、いくつか顕微鏡写真に撮り、それを大切に標本缶の中に納めた。

S君の仕事はこれで終ったわけではない。標本の採集がすむと、凍土層内の地中温度の精密測定という、今度の調査における眼目の仕事にとりかかった。凍土内の温度は熱電対(サーモヂャンクション)と検流計(ガルバノメーター)とで電気的に測るのである。熱電対には銅とコンスタンタンとの細い針金を用い、それをよく絶縁してピアノ線に沿わせてとりつけた。凍土の中に鉄棒を打ち込んで、それを引き抜いた孔(あな)の中に、この熱電対をとりつけたピアノ線を差し込むのである。凍土は土圧のために少し変形するので、孔はすぐ詰ってしまう。梃子(てこ)を用いてやっと引き抜いた鉄棒の孔に、ピアノ線を差し込むのはよいが、二十分間くらい放置して測定を終り、さてそれを抜こうとすると、どうしてもとれなくなってしまう。浅いうちはそれでもどうにか抜けるが、三メートル以上になると熱電対を切ってしまう覚悟がいる。

この方法で精密な検流計を使うと、零度付近で百分の一度の精度が得られる。もちろん野外実験でそれだけの精度を出すには、十分な注意を要する。蒸留水をチチハルからこの奥地まで運んで、それを凍らせて氷を作り、その氷で零点を決めるという程度の手数がかかるのは致し方ない。

検流計のためにはテントを張ってもらった。その中に太い柱を埋め込み、その上に検流計を安置して、黒い布で周囲をおおう。地温測定にかかるころはもうすっかり暗くなって、顕微鏡の尺度を照らす豆電球が一つ、かすかに抵抗箱とスイッチとを光らせている程度である。今日の測定は、深さ三・二四メートルにおいて、地温マイナス〇・三三度。朝から晩の七時までかかって、一点の測定ができたわけである。

やっと安心のできる測定値を一つ得て、ほっとした気持でテントを出ると、闇の草原には工事場のほのかなランプの光以外、燈火というものは一つもない。気温は零度近くに下り、風がこの荒漠たる草原を吹き抜けていた。

五日がかりで十点ばかりの完全な測定ができ、永久凍土層内の温度分布の曲線が一本得られた。その結果は、この地帯の川に鉄橋をかけるための基礎実験として、S君が半年がかりで低温実験室の中でやっていた実験を、いま一度やり直す必要があるという結論に達した。「やはり現場で一度ちゃんとした測定をしておかねば駄目ですね」とS君は安堵したような困ったような感慨を洩らした。

三　草原の王者

田泥河工事区での調査も一応終ったころ、さらに奥地の阿津山から無電がはいってきた。いかにも陸の大洋らしい。水源と氷丘との調査をしているからすぐ来いというのである。だいぶ誘惑を感じたが、予定にしばられているので、S君に代りに行ってもらうことにした。

九月の末というのに、すっかり毛皮の外套を着込んで、S君は満人の小さい馬車に乗って元気で出かけて行った。八時間くらいかかるのだそうである。まだ狼の出るには少し早いが、念のためにといって、鉄砲をかかえて、少々得意の様子であった。この付近の狼は非常に獰猛で、冬になるとよく被害があるそうである。あとでチチハルで聞いた話では、そこの部隊で、トラックに乗っていた兵隊さんが二人、目的地へ着くまでに消えてなくなったことがあるそうである。疾走中のトラックを自由に跳び越すというのだから大変な代物である。

草原のかなたに小さく消えて行くS君の馬車を見送ってから、この調査に同行した満鉄のS氏の案内で、私たちは近所の湖まで散歩に出かけた。この工事区の付近はなだらかな丘陵地帯になっているので、遠くにゆるやかな丘がつづき、少し低目の草原の中に小さい湖がある。しばらく行くと小川に出る。水は驚くほど清冽（せいれつ）で冷い。ちょっと測って見ると四度である。四度といえば、北海道の真冬の地下水の温度がちょうどそれである。その冷い透明な水の中には長い藻が一面に生えていて、それが流れに従ってゆるやかに揺れている。小川自身もこの砥（といし）のように平らな草原の中では、その行き場に困ると見えて、極端な蛇行（メアンダリング）をしている。そしてその周囲はずっと広い範囲にわたって湿地になっている。この湿地に迷い込んだらどうにも動きがとれないということである。

間もなく目の前に湖が現われた。湖の水は黒みがかった濃い藍（あい）色である。周囲の丘も原も一面の茶褐色の世界に、この濃藍の水が静かに横たわっている景色にも人外の趣きがある。このような湖には生物などは何もいないように見えるが、案外魚がたくさんすんでいるそうである。鮒（ふな）などは大きいのがたくさんいて、冬になるとわけなく捕れるということであった。湖が岸から凍り始め、最後には一番深い所だけが凍り残されるので、鮒どもはその深い所に集ってくる。氷上水の現象がこの場合にも見られるので、水の凍結による膨脹のために、この凍り残った水には強い圧力がかかっている。そういう時に氷上から孔をあけて行って、巧（うま）くその水にぶつかると、圧のかかった水は非常な勢いで噴出してくる。鮒ももちろん一しょに吹き上げられる。一たん外に出ると、気温は零下三四十度に下っているので、瞬間的に凍ってしまう。そのようにしてできた冷凍鮒をかき集めて、縄で縛ってさげてくればよいという話なのである。真偽は保証の限りではないが、物理学的には可能な話である。

湖水の岸を掘ると、砂と砂利とが出てくる。腐植土ばかりの世界では、工事用の砂と砂利とは非常に貴重な材料である。岸に沿って少し歩いて、その採取場へ出る。初めの位置からはよく見えなかったが、そこへ行ってみると、大勢の苦力が砂利を掘っている。方法はきわめて原始的であるが、思いがけぬ所でたくさんの人間が労働している姿を見て、急に開化の世界へ出たような気がした。

思わず少し長歩きをしているうちに、風が冷くなってきた。天候も少し変り気味で、層雲が幾重にも段々になって、鉛のように重い色をしている。樺太の晩秋にもよく見る雲の気配である。その雲の切れ間から陽がもれて遠くの山を赤く照らしている。S

氏はこの草原の世界にもたくさんの花が咲き、六月から八月にかけて、花の盛りの趨移につれて、山がつぎつぎと色を変えて行く様子を説明してくれた。ちょっと調べただけでも、百種以上の美しい花があったそうである。

工事区の建物は非常によくできていた。周囲はすべて厚板の二重張りで、その間隔が二十センチあり、そこに土を詰めてあった。天井の上にも土を載せ、断熱は中分なく注意されていた。そして中でロシア式のペチカを焚いているので、夜でも浴衣がけ程度の暖かさになっている。このように建物の内部全体を暖かくしておくと、その建坪内の地域だけは凍上が起らない。ところが外気は零下数十度になっているので、建物以外の土地は凍上で隆起する。そうすると建物の外周りの所で地面に段がついて、けっきょく、基礎に無理がかかることになる。その点を考慮して、外周りを幅二尺高さ三尺くらいの土手で包むように作ってあった。これだけの注意を払えば、永久凍土層の上でも十分文化的な生活もできるだろうと感心した。

ここの工事区では、あらゆる歓待を受けた。調査も予定通り進み、馬乳酒の少し酸っぱいような不思議な味も初めて経験し、無事に帰りのトラックに乗った。

帰途にはロシア人部落へ寄ってみた。ここの部落は三河ほど有名ではないが、それでもロシア人たちは、厳しい自然の猛威からよく身を護って、つつましいながらに、楽しい生活をしていた。部落長(アタマン)の家はかなり立派なもので、例によって居室の中にゴムの木の鉢を茂らせていた。そのほかにも紅紫色とりどりの花鉢がたくさん飾ってあった。この居室でパンと酪製品との御馳走(ごちそう)をされながら聞いた話のうちで、一番面白かったのは、男の子のたくさんある人がアタマンになるという話であった。

われわれが陸の大洋と感嘆したあの草原は、何か規約があるのかもしれないが、けっきょく人手のある者が利用するのである。部落の近くでは、枯草を刈って積みあげた山がたくさん見られた。これは冬の間の牛と緬羊(めんよう)との飼料である。夏の間は放牧しておけば勝手に繁殖し生育するのである。土地が無制限に近く、労働が金銭では買えない場合には、けっきょく労働力をたくさん持った者が草原の王者になるのは不思議ではない。

現在の経済組織ができ上らない前の社会状態というものを、本では読んだことがあるが、こういう土地へきてみると、初めてその本当の意味が理解されるような気がした。それを未開の状態といってしまえばそれまでのことであるが、この未開の自給自足の生活が持つ強味は、今度の大戦争で初めて身に沁(し)みて味わされたわけである。

草原の王者になる気はなくても、一度この草原地帯を訪れた人は、誰でも強い魅力を感ずるそうである。私ももちろんその仲間の一人である。シンガポールやセイロンの華やかな熱帯の色彩も美しいには美しいが、ツンドラの秋やこの草原のような魅力は感ぜられない。その原因は低温科学を専攻しているからともいえないようである。しいて求めれば、高緯度地帯の景色が持つ独特の清潔さというものが、魅力の原因であるのかもしれない。

その話をS氏にしたら、S氏は笑いながら次のような話をしてくれた。

いつかこの土地を通る国際列車の中で、誰かが窓外の草原を眺めながら「いい景色ですね、こんな所に牧場でも持って、人間から離れて暮したらいいだろうね」と言った。そしたらすぐ前に坐(すわ)っていた男が、やにわに手を振って「駄目です、駄目です、実は僕はやってみたんです」と言って、大笑いになったことがあったそうである。

（昭和二十年十月）

天地創造の話

天地創造の話というと、たいへん大袈裟なことになるが、昭和十九年の夏から、北海道の片隅で、そういう異変が現実に起きているのである。

今まで鉄道が通り畑が耕されていたただの平地であった所が、毎日二十センチくらいの速さで隆起してきて、人家や道路が、いつの間にか丘の上に持ち上げられてしまった。そのうちに噴火が起きて、そこに突如として、四〇五メートルもの高さの火山が現出したのである。その火山は今もなお盛んに鳴動しながら、噴煙を吐いている。

そういう大異変、おそらく世界的にいっても非常に珍しい天地の変動が、現に我が国の一地点で、実際に起きつつあったのである。しかし人々は目前の戦況に心を奪われ、一日何合の米に気をとられていて、そういうことには注意を払う暇がなかったようである。

もっともそれには官憲側の取り締りもあったので、この異変はその勃発当初以来、終戦のときまでは、報道が禁止されていたのである。禁止の理由は分らないが、人心の不安を考慮したものであろう。もっとも地盤の隆起によって、灌漑水路が断ち切られ、何百町歩とかの水田が駄目になってしまったというような実害もあったのであるが、それよりも何となく不吉の前兆のように思われたからであろう。

この異変の起きた場所は、有珠山の東に当る壮瞥村であって、倶知安から洞爺湖の方へ抜ける支線鉄道の壮瞥駅から、半里くらいのところである。昭和十八年の年末ごろから、この地方だけに頻々として地震が起り、それが一日百回くらいにも達した。また有珠山が噴火するのかもしれないというので、年末押し迫って、何十台とかのトラックを総動員して、洞爺湖温泉の人たちを、急遽避難させたという噂が伝わってきた。

十八年の暮といえば、アッツの玉砕に引きつづいて、南太平洋の諸島で、つぎつぎと玉砕が報ぜられ、戦局の大勢を示す陰鬱な暗雲が、知らず知らずのうちに人々の頭上に感ぜられていたころである。そういうときに、この群発地震に引きつづいて、明けて十九年の一月早々から、鉄道線路付近に盛んに地割れが始まり、そろそろと土地が隆起してきたのである。あまりめでたい話ではない。

土地の隆起は、二月も引きつづき進行し、三月に入ってからは、ますます著しくなってきた。灌漑水路は遮断され、鉄道は隆起地帯を逃げるために、路線をたびたび変更して、近くを流れている長流川の岸まで押しつけられた恰好になってしまった。そのころはもう二十メートル近くも隆起があって、福富博士の報告にある面白い例では、付近の某氏宅から、以前は南方に遠く噴火湾を望み得たのに、眼の前に丘が盛り上ってきて、その眺望がきかなくなってしまったという。その反対に以前は坂下にあって見えなかった人家がせり上ってきて、眼前に現われたのである。まさに異変である。はるか地の底に眠っていた、真赤に熔けた岩漿が、そろそろ眼を覚して、起き出してきたのである。さらに面白いことには、この地変は一地点に止らず、最大隆起の場所が、活動の初期にくらべて、漸次北の方へ進行して行ったのである。大分地表近くまで押し上ってきた熔岩の大蛇が、少しばかり身をくねらせたのであろう。考えてみれば恐ろしい話である。しかしそういう土地の上にも、なお住民たちは、案外不安な顔もしないで住んでいた。

この間我が国の地球物理学者たちは、戦争に直接関係ある研究に動員されながらも、時を盗んでたびたび現地の調査をして、一応はこの異変の全貌をとらえたのであった。三月から四月にかけて、水上博士の一行が、精密な水準測量によって、地盤の上昇速度を測り、地震観測と地磁気観測とを行った。四月に入ってからは、実川、永田両君が、地形の変動を詳しく調査している。その報告によれば、鉄道側で五月一日に測量した結果では、異変以前よりも二十四メートルも隆起したところがあった。この隆起は、一月初めから始まったと考えられ、また各種の観測を綜合した結果、ほぼ一様な速度で上昇したと見られるので、一日に二十センチの割合で、この間隆起が続いていたことになる。その値は水上博士等の測量ともだいたい一致するのであるが、昨日の測量と今日の測量とで、高さが二十センチも狂ってくるということは、たいへんなことである。

北大では地球物理の福富教授と地質の石川教授とが、四月末ごろからたびたび調査をして、その観測は今日まで続いている。この地変はその年、すなわち昭和十九年の六月二十三日の爆発にいたって、その序曲を閉じ、引き続いての噴火によって、いよいよ本格的な大異変に展開して行ったのである。

いつまでも続く薄気味悪いこの土地の盛り上り。それに縦横に走る地割れ。そのうちには、福富教授の調査によると、全長六百メートル幅二十五メートル、落差五メートルという恐ろしい地割れまであったそうである。これだけの異変が地表に起るには、地下によほど恐ろしい力のひしめきがあるにちがいない。しかしそれが噴火となって爆発するか、この程度で落ちつくかという見透しは、なかなか困難であった。

地貌の変化が著しいこと、その進行が長期間にわたることからみれば、相当の大勢力のものであるにはちがいない。しかし考えようによっては、これだけの大変化として、勢力の一部が発散してしまったのだから、案外この程度でおさまるかもしれない。そういう期待をするには、参考となる前例がある。それは明治四十三年の有珠の噴火であって、そのときは今回の場合ほどではないが、やはり異変が起ったので、その前兆をとらえて、ときの室蘭警察署長飯田氏が、非常手段をもって、付近一万五千の住民に強制立ち退きを命じて、災害を未然に防いだことがある。今回はそのときよりももっと大規模な異変が、もう六ヵ月も続いているのであって、噴火が起きるものならば、もうとっくに起きてしまっているであろうという観測である。

この根拠のない希望的期待は、簡単に破れてしまって、六月二十三日の朝、ついに爆発が起り、噴煙を開始したのである。地点は有珠火山の山腹をめぐる突起山塊の一つ、松本山の南方ほど近いところである。松本山は標高二三九メートルで、周囲のいくつかの山塊の中では、目立って突出していた山であるが、この新火山はみるみるうちに隆起して行って、間もなく松本山を眼下に見るまでに生長したのである。

最初の爆発から新火山の生成にかけて、始終そのスケッチと記事とをとって、千載一遇の貴重な記録を残した人がある。これは壮瞥村の郵便局長三松氏であった。その記録によってわれわれは、この世紀の大事件の過程を、いながらにして知ることができるのである。この爆発の報道は、数行ばかりの記事として、新聞の片隅に出ていたが、その時期が、たまたま今次の大戦の決定的段階を劃したサイパンの陥落と相前後していたために、狂躁的興奮の渦に巻かれていた国民の中に、それに一瞥を与えた人はほとんどなかったであろう。しかし三松氏はその後も相つぐ国民的悲報の連続の中で、克明にこの記録をとり続けたのである。

第何回目の爆発であったか忘れたが、爆発の写真を撮るべく、苦心を重ねていた福富教授が、ついにその撮影に成功して、その貴重な写真を持って来られたことがある。「ちょうど運がよろしかったのでしてね。噴火口の一五〇メートル近くくらいまで行ったとき、この爆発が起ったんです。あわてて写真を撮ったんですが、もうそのときにはこんな大きい石がばらばら落ちてきますもので。さあもうリュックも何も放り出して逃げて参りました」ということであった。自分で持ってきた写真に、自分で見ほれている同君の顔には、つい先ごろテニヤンの悲劇で令弟をうしなった嘆きの陰も見られなかった。

六月二十七日の第二回の爆発のときには、火口のできた平地は、もう六十メートルほども隆起していた。そして最初の泥流が押し出されてきて、下の沢を埋めてしまった。この泥流は、有珠火山の噴火にはいつも伴なうものである。噴火湾と洞爺湖との間に挟まれたこの地帯では、地の底に豊富な水分の存在が想像され、それが噴火と同時に押し出されるのであろうとされている。

七月に入って、活動はますます激しくなってきた。山は地の底から生い出るように、どんどん隆起してくる。噴火口付近は濛気にこめられて、山容も明らかには見られない。ときどき爆発の地響と、地震とも思えぬ振動の連続、それに地鳴りとに脅される日がずっと続いた。爆発ごとに噴火に特有な塔状積雲が、濛気につつまれた地上に高く立ち昇り、夜などはその中に赤く火柱が立つ。降灰の範囲は漸次拡がって、洞爺湖畔から徳舜瞥に及び、数千町歩の畑地が、三センチ以上も灰をかぶって、作物は全滅。見渡す限り灰一色で緑の面影もないという景色に変ってしまった。

周囲の山の立木はもちろん全滅。全山緑であった松本山は、一挙にして熱灰の山となり、七月七日の報告で、既に「松本山は丸坊主となり低く」とあるところをみると、新火山は非常な勢いで盛り上っていったらしい。

その後も隆起は依然として止まず、一日一メートルくらい、火口付近は数メートルという勢いで生い立って行った。そして冬を越して、昭和二十年の春を迎えたころは、昨年まで畑であったところに、周囲二キロメートル、高さ四〇五メートルの火山が聳え立ち、真中に突立った立派な円頂丘からは、盛んに噴煙を見るという奇蹟の山が現出したのである。

一生のうちに再び見ることのできないであろうこの大異変を眼前にしながら、私は一日一日を引きずられるような姿で、戦時研究に没頭させられ、二日の暇をさくことができなかった。というよりもそれだけの気力が出ないほど疲れていたのであろう。ところがその夏に、幸いこの新火山の近くの飛行場で、ある研究をすることになったのを機会に、一日をつぶして全教室員で見に行くことにした。案内は福富教授である。各人それぞれ自慢のカメラや寒暖計などを持ち出して、たいへんな意気込みで乗り込むことになった。

洞爺湖温泉で一泊した一行は、翌朝早く立って湖畔に沿い、明治四十三年にできた新山の麓を通って、西湖畔へ出た。ここまではところどころに降灰の痕跡を見る程度にすぎなかったが、一歩西湖畔から折れて山地に向うと、途端に一望ただ灰一色の死の山野の景色がひらけてきた。そしてその景色の奥に、新しい火山が、もうもうたる白煙を噴いて聳えている姿に接したのである。

この有珠山の東山麓地帯は、普通は北海道によく見られる広漠たる平野で、きわめてなだらかな起伏のある美しい沃野である。昨年までは一面の緑の畑に牧草地が続き、ところどころに白い牛が放たれていたのであろう。それが今は全く熱灰の下に埋められ、一望沙漠のような何物もない景色に変っている。わずかに残骸を示す立木も白く枯れて、なかば折れくだかれている。正面の新火山の右に、松本山が丸坊主になって小さく見える。これもこの付近では目立って高い山であったのが、まるで今度の山の瘤くらいな恰好である。左手には、ずっとなだらかな丘陵地帯が続いているが、それも全山灰の下になって、滑らかな砂丘のような姿である。しばらく歩いて行くうちに、黒い洋服の布地の上に、白い粉がいつの間にか溜っている。今日は風向きが悪いので、こっちへ灰がくるらしい。立ち止ると、火山の地鳴りがごうごうと、遠い海鳴りのように聞えてきた。

歩きにくい灰の上を難行しながら、新火山の麓近くまで行く。近づくにしたがって鳴動はだんだん大きくなってくる。降灰層の厚みは、二メートルを越えるところもある。降水の浸蝕のために、いたるところに原始の川ができている。この種の「土」に特有な性質として、両岸が垂直に切り立って落雁を割ったような形になっている。北支の奥、ゴビの沙漠の黄土地帯を流れる川の原型が、いたるところに見られるのである。

地割れといった方が適当なこの原始の川については、構造よりもその形の方が、私にはもっと心がひかれた。左手にある砂丘のような滑らかな丘陵の腹に、この原始の川が何本も並んでいる。山肌のわずかばかりの凹みを水が流れ、一度水が流れると、ますます溝が深くなるので、その流路は固定される。そういう流路がたくさん沢に向って集り、一本の幹となって流れ下る。それらの流路が、一草のさえぎるもののないこの原始の山肌の上では、ちょうど地図の上で見る川の形そのままに見られるのである。

山はただ一面の灰におおわれ、生ける者のしるしもない。灰色一色の山肌の上に、両岸の切り立ったこの原始の川が、強い鉄線を曲げたような形に、黒く力強い線となって刻み込まれている。天地創造の世界で、川が誕生するときの姿を想像するには、これ以上のうまい景色はないであろう。

熱灰の下の松本山は、悲惨な景色である。なまじっか唐松の林におおわれていたばかりに、無慙(むざん)にもくだかれたその残骸(ざんがい)が、灰にまみれているのが、傷ましい姿に見える。不思議なのは、松本山の右手に続く山の唐松が、皆根もとに近いところからへし折られたような形に倒れていることである。こういう例は、前にも一度あったとかいうことで、何か重いガスが非常な勢いで噴出されたためではないかと、想像している人もあるそうである。そういうことは、実験室の物理学ではちょっと考えられないが、そうかといって外にちょっと説明のしようもない。天地創造の世界で起る現象は、そう簡単に説明されないのが当然なのかもしれない。

もう大分山が落ちついているので、円頂丘にはとても登れないが、外輪山壁までは行けそうである。そこまで行けば、円頂丘の割れ目から中の熔岩が見えるはずだということで、私たちはまず松本山へ登った。その頂上から新火山の外輪山壁へは、比較的安全に登れるということである。このできたばかりの火山は、私たちの見ている眼の前でも、盛んに岩が崩れ落ちているので、とてもまともには近寄れないのである。松本山の頂上付近は、深い地割れが一面にはいっている。全山をおおった厚い降灰層が、その後の基盤地形の変化によって、さんざんに割られたのである。今にも全山が崩壊しそうな気がする。薄気味悪い思いをしながら、深い地割れをまたいで登って行く。いよいよ新火山にとりつくと、地鳴りはますます激しくなる。ごうごうと全山が身を震わせて鳴っている。何だかほんとうにその振動が脚下に響いてくるようである。

外輪山壁にとりついて、噴煙の円頂丘に面と向ったときに、景色がまるで一変したという感じを受けた。熱灰の下の山野は死の世界であるが、この今大地の底から押し上ってきた岩山は、スタインの言葉を借りれば、それは生を知らぬ世界である。まず眼を見張るのは、その多彩なる色彩である。一挙に四〇五メートルも押し上げられた地殻は、その表土をかなぐりすてて、地下の岩盤をあらわに露出している。今まで地熱とガスとに焼かれていたその岩盤は、縦横に打ち割られて、一メートルから二メートルくらいの岩塊の集りとなって、危く山の形を保っている。百万年の間地下に秘められ、今新しく初めて陽光を見る岩の色は、きわめて鮮かである。それは人界にある色とはちがった美しさである。分析の結果からいえば、鉄分が多いためといわれるかもしれないが、この岩の基調の色は、紫を含んだ代赭に似ている。

岩の割れ目からは、かすかに蒸気がもれている。そういう割れ目の端は、とくに鮮明な多彩の色に縁どられ、濃い紫と輝く黄色と鶏冠石の朱とに飾られて、螺鈿をちりばめたように妖しく美しい。黄は硫黄の結晶であろう。朱の色は砒素の蒸気によって、本当に鶏冠石が生まれてきているのかもしれない。そういえば、孔雀石の青緑を思わす鮮かな色彩もまざっている。手を触れてみると、岩はまだ熱い。

この妖しく美しい岩石の原を前景にして、濛気の隙間から、紫色に黒く円頂丘の大岩塊が、すぐ眼の前に見上げるばかりに聳えている。真白い噴煙がその円頂丘の脚下から頂上まで、いたるところから非常な勢いで吹き出されて、この大岩塊をつつんでいる。地をとどろかして響く鳴動は、しばしの休みもない。噴煙が左右に揺れる隙間から、ときどき岩の割れ目が見える。双眼鏡を眼にあてたまま待っていると、噴煙のなびく隙に、その割れ目が黒く浮き出してくる。割れ目の奥は暗く、その底に真紅の熔岩が光って見える。その火の色を見ていると、何だか自分が現実に地球の奥をのぞいているような気持になる。普通の活火山で熔岩を見ても、こういう気持はあまり起らない。つい近くまで大地の底にあった物が、今眼の前に現出したという、地球の力を如実に示すこの新火山にして初めて感ぜられる気持なのであろう。

この如実に示された地球の力に幻惑されたことも、一つの理由であろうが、今眼の前に見るこの山の姿は、まことに美と力との象徴である。その美は人界にない妖しい光につつまれている。その力にも闘争や苦悩の色が微塵もなく、それはただ純粋なる力の顕現である。こういう美と力との世界は、生を知らぬ世界であり、人の心に天地創造の夢をもたらす世界である。

風向きが変って、灰が真白に降ってきた。煙もこちらへなびいてくるようである。私たちはあわてて山を下りた。ふり返ってみると、山腹に沿ってときどき岩塊がころげ落ち、それにつれて、土砂と火山灰との山崩れが起り、もうもうと土煙を立てていた。あの麓までころげ落ちた岩塊には、もうさっきの色の美しさは消えていることであろう。

地球物理学の立場からいえば、今度の新火山も、やはり有珠火山活動の一例で、それほど珍しがることもないかもしれない。もっとも有珠火山そのものが、世界的に珍らしい火山なので、その意味では稀有な現象といってさしつかえない。しかし有珠では、既に明治四十三年の噴火に際し、洞爺湖畔に新山が隆起し、百日の間に一五五メートルの高さとなって、現在の山ができている例がある。

この有珠火山では、岩漿が火口まで昇ってくる前に、熔岩柱の頭が固化し、それが下方のまだ熔けている岩漿で押し上げられて、円頂丘となって盛り上ってくるという特徴がある。円頂丘ができると火口を塞ぐので、岩漿の新しい活動は、ときとして山腹部の抵抗の弱いところへ向い、新しい山を隆起させて、今度のような新火山を造る。その熔岩柱が地上まで噴出せず、地下に潜在円頂丘として止る場合は、明治四十三年の新山の場合のように、山の隆起だけに止ることになる。

こういう説明をきけば、今度の新火山の現出も、何も天地創造の夢までもち出すほどの事件ではないかもしれない。しかしそういう説明をきいても、あの美と力との不思議な世界の魅力は少しも減じない。私にはアルプスの成因の学説よりも、今度の火山の姿の方がもっと心に残るのである。

すべての原始民族が、それぞれ自分の天地創造の伝説をもっていることを思えば、こういう夢も許されることであろう。

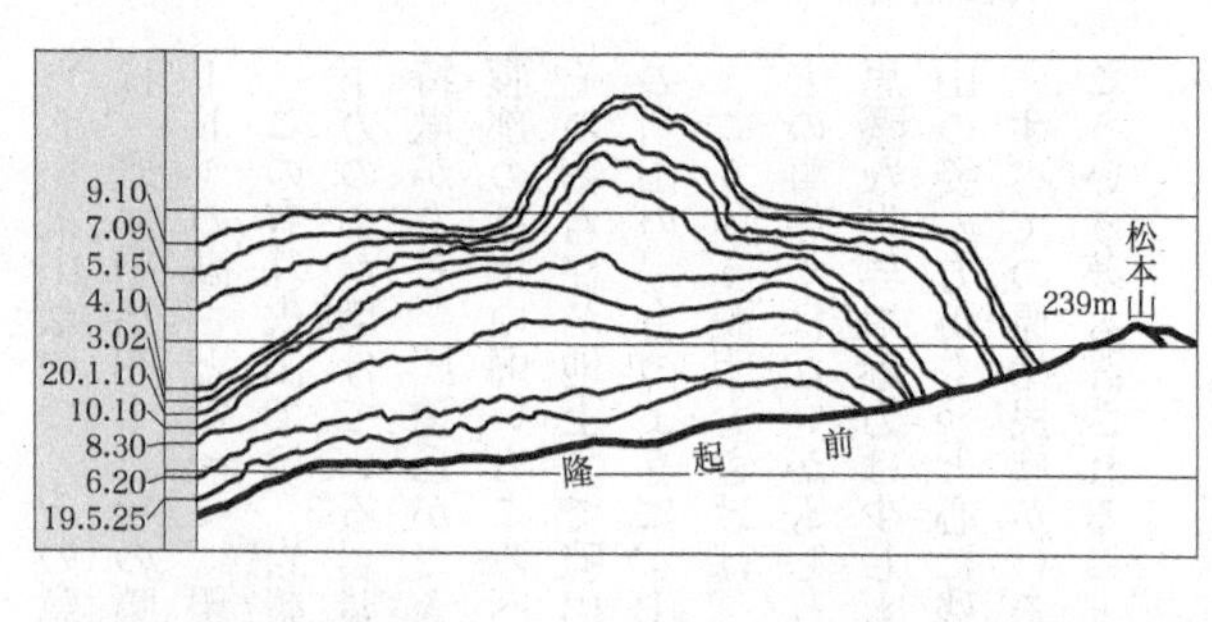

付記

本文にもちょっと書いた北大理学部地質学教室の石川教授の好意によって、この新山のできた経過を示す図を一枚加えた。この図はこれも本文にちょっと書いた壮瞥村郵便局長三松氏の観測に基づいたものである。隆起前の地表面を太線で現し、昭和十九年五月二十五日から昭和二十年九月十日までの新山の外郭線の変化を十期に分けて描いてある。昭和二十年九月以降はほとんど著しい上昇を示さないので略してある。

最初の爆発は昭和十九年六月二十三日に起ったので、下から二番目の線のころである。爆発が起ってから、土地の隆起は急に速度を増している様子がよく見られる。そして翌二十年四月には、円頂丘が完全にできている。私たちがこの山を訪れたとき、すなわち本文に書いた記述は、上から二番目の線のときである。三松氏の原図はこれよりもずっと詳しいもので、きわめて貴重な資料である。今度三松氏の快諾を得てこの略図を転載することができたことは有難い次第である。

（昭和二十二年七月）

千里眼その他

もう三十五年くらい前の話であるが、千里眼の問題が、数年にわたって我が国の朝野を大いに騒がしたことがあった。私たちも子供心にそのころは千里眼を全く信じていた。子供たちばかりでなく、親たちも信じ、学校の先生たちも信じていたようであった。

このごろある機会に、そのころ千里眼問題に直接関係された先輩の一人から、当時の関係記録を借覧することができた。それを読んでいくうちに、私はこの問題は一種の流行性熱病と見るのが一番至当であろうという気になった。

ところでこういう昔の話をいまごろになってもち出すのは、この種の熱病の流行は、必ずしもその国の科学の進歩程度にはよらないという気がしたからである。もしそうだとしたら今後も流行するおそれがある。特に大戦争下などには、そのおそれが濃厚であるとも思われるので、予防医学的な意味で、当時の世相を顧みておくことも無用ではなかろう。

千里眼の最初は明治四十一年の夏、熊本の御船千鶴子(みふねちづこ)が、密封したものの中を見るという、すなわち透視の能力を得たといい出したことに始まった。その後丸亀市の長尾郁子が同じような能力を示し、その他にも方々でそういう人が現われてきた。そのうちに念写という問題も出てきた。この方はいっそう不思議なもので、密封した写真乾板にいろいろな字だの図形だのを、念力で感光させるというのである。

もしそういうことがほんとうならば、それは人間の精神力の神秘を解く鍵となり、また物理学なども全くちがった面貌をとるようになるであろう。従来の科学がその大筋において間違っていなかったならば、透視や念写などということはできないとみるのが至当である。

ところが問題はそれが実際にできるという点にあった。もし実際にできることならば、何も問題はないので、そういう事実を説明しうるような学問を作る必要がある。しかしこういう場合に、それが実際にできたか否かということを決定するのは、案外困難である。手品か詐欺のような要素が巧妙にはいっている場合には、なかなかそれを見破ることはできない。

こういう場合の事実の判定は、特に科学的な問題と関連している場合には、警察の力でもできないし、またどんな権力者の力でも不可能なことが多い。学者といってもいろいろな学者があるが、例えば帝国大学の教授で博士というような人が、これは事実であると判定した場合は、一般にはそれを信用するより仕方がないであろう。

ところが千里眼の場合には、京都帝大の精神病学主任教授今村博士や、東京帝大文科の助教授福来文学博士などが、自ら実験されて、それが事実であるという報告をされたのである。それに我が国哲学界の大権威井上哲次郎博士も信用され、そういうことはありうるという意見を発表されたのである。

こうなれば、もう一般の人々は、それを信用するより仕方がない。それでなくてもいつの世でも、世間は珍らしい話が好きであり、人間は神秘にあこがれる本性がある。それに新聞にとっては、これは、絶好の題目である。燎原の火のごとく、千里眼が全国に拡がり、いたる所に千里眼者が出現したのも無理のない話である。

いったん千里眼が実際に可能であるという判定になれば「そんなことができるはずはない」という議論は、もはや意味はない。現に、科学史に残るような大科学者が「できるはずがない」と言った発明が、その後間もなくできたような例もたくさんある。例えばヘルツが電波を発見したときに、やがて電線なしの電話ができましょうと祝辞をのべた人があった。それに対してヘルツは、電磁波の振動数と音波の振動数との隔絶した開きを指摘して、そんなことはできるはずがないと答えたという話がある。しかしその後十年にしてマルコニーは、ドーバー海峡を距てる無線通信に成功しているのである。千里眼の場合は、これとは話が量的には著しくちがうが、それでもいったんその可能性が確認された以上は、存否の議論はもはや無意味である。それで千里眼の現象に類似した他の現象を探して、それらをまとめて理論づけをする必要が出てきたわけである。

ところが意外の方面から、有力なその後援者が出てきた。それは動物学者の側からであった。当時我が国の動物学界の権威であった丘浅次郎（おかあさじろう）博士と京大の石川千代松（いしかわちよまつ）博士とが、昆虫に透視の本能があることを提唱されたのである。それは馬尾蜂（うまのおばち）という長い針のような産卵管をもった蜂がある。この蜂は樹幹中にすむ天牛（かみきりむし）の幼虫の体に、樹皮の上からその産卵管を刺し込む習性をもっているが、これは馬尾蜂に千里眼的な透視の本能があって、外から樹幹中の天牛の幼虫の居場所を知るのであろう。こういう本能が人類に再現しないとはいえない。それで千里眼は今まで知られなかった本能の一つであろうという説なのである。

動物学界の権威者たちが、昆虫に千里眼の本能があるといわれる以上、進化論からいっても、人間の千里眼もいよいよ確からしくなってくる。こういうふうに状勢が進んでくると、もはや千里眼は新聞記者の好題目や茶の間での話の種だけではすまされなくなる。そして事実千里眼はまさに我が国の朝野を風靡（ふうび）する勢いとなった始末である。我々科学者の立場からいっても、もし透視や念写の可能性が実証されたのならば、それは今までの科学を放り出しても、その分野の開拓に突進するだけの価値ある大事件である。そしてついに我が国物理学界の開拓者で前東京帝大総長なる山川健次郎（やまかわけんじろう）先生の出馬を見るにいたったのである。

ところでこの問題を物理学的にみれば、次のようになるであろう。今までの物理学では、物が見えるというのは、物の方から光線がきてそれが眼に入るからで、眼から何かの線が出てそれが物に当るから見えるのではない。眼でなくて何か未知の機能で感ずるとしても、それを感じさせる作用は物から来るという考えかたである。それで透視が可能なためには、白紙に書いた黒色部分すなわち字から何かの作用線が出る必要がある。その作用線のうちで、既知のしかも今までに知り得た唯一のもの、すなわち光はこの場合問題にならない。それで全く未知の作用線を探す必要があるが、それは全然見当がつかない。むしろ従来の考えかたを完全に変えて、人間の身体の方から何かの作用線が出るとした方が説明がやさしいくらいである。念写にいたっては、写真乾板の銀粒子に作用を及ぼし、そこに感光の勢力（エネルギー）を残すのであるから、この後者の考え方によるより仕方がない。

人間の身体からある種の作用線が出るという考えは、古代からあるのであって、昔の英雄や豪傑は、ほとんどみなその能力をもっていたと一般には考えられてきている。現在でも、指先から霊力を放射して病気を治すという治療者が、白昼帝都の中で営業をなし、その信者はいわゆる有識階級の人の中にもたくさんあるらしい。もっともこの話はちゃんとした学者の中にもあるので、千里眼事件よりは後のことであるが、生物体から出る放射線を発見したといい、それを生物線と名づけ、その研究論文だけでも世界中で何百と出ているのである。

この生物線の話は後に譲るとして、生物線などの知られていなかった当時のこととて、物理学者のあいだでは、この千里眼は初めから批判的に見られていた。もっと明らさまにいえば、疑いの眼をもって見られていた。その方が当然なのであって、とうてい考え得られないことなのである。それで誰も本気でこの問題をとり上げた人はなかった。それが珍奇を喜び、何事にあれ着実真摯な道を煙たがりやすい世間には、大変評判が悪かったらしい。

現代の日本の物理実験学を建てられた中村清二博士の『理学者の見たる千里眼問題』によると、先生たちはまず「迂遠なる学者」といわれ、ついで事件が念写にまで発展したころは「頑冥なる学者」とされたということである。そして最後にこの事件は、御船千鶴子の自殺、長尾郁子の急死という破局にいたって暗転したのであるが、その一段落ついたところで、従来の経緯を明らかにされたときには、「あまりにしつこいではないか」という世評を受けられたそうである。

物理学者たちの消極的反対にもかかわらず、千里眼の方はますます流行をきわめ、「天下その真偽に惑い奸催眠術者の徒たちまちに跋扈を極め迷信を助長し暴利を貪り思想界を擾る」という状態にまでなったのである。後から考えてみれば、まるで悪夢のような話であるが、実際にあったことである。それは正しく流行性の熱病であった。

この一節は、千里眼の真偽いかんについて厳密なる科学的裁断を下すべく、丸亀市の長尾家における山川健次郎先生の実験に万般の援助をされた藤、藤原両先生の『千里眼実験録』の序文の一節である。この書などは現在ではとうてい手に入らぬものであろうが、この種の実験報告としては、細心精到かつ典雅をきわめたものである。

細心精到なるゆえんは、初めから千里眼を否定することはせず、もしこの現象の中に幾分でも物理学的要素があった場合には、その性質を吟味すべく、二十三種の実験五十余種の材料を携行されたことにもうかがえるであろう。典雅というのはこういう場合にはおかしな言葉であるが、この実験の困難は実は人事的方面にあったのである。その一つはこの現象が大部分精神的なものである以上、先方が精神状態を乱すからといわれればそれまでである。それで先方の条件は十分いれて実験しなければならない。

その条件が実は手品または詐欺の挿入しうる条件だったのであるが、それだといって実験を打ちきれば、けっきょく水掛論に終り、火はますます燃え上るばかりである。いま一つは、これは想像であるが、長尾夫人の御主人が、現職の判事であったことも、この事件のかげに揺曳（ようえい）しているある種の雰囲気を思わすのである。そういういわば人事的な瑣事（さじ）は、科学の研究の前には問題とするに足らないというのは、科学がまだ十分に身についていない人の言うことである。両先生はその点を十分考慮し、先方の条件を完全にいれて、しかもそのあいだに詐欺的要素あるいは未知の新しい現象がはいったならば、物理的にそれが分るような実験をされたのである。

これだけの注意を払って、先方の条件をすっかりいれられたので、初めの数回の実験は長尾夫人も機嫌よく引き受けた。そして透視の実験は一回は成功し、一回は失敗に終った。ところがその成功の実験は、先方の指定した机の上で、外からのぞけばすぐ見えるようにして字を書いた場合であった。つぎに同じ机の上でちょっと腕で隠して書いた字は、もう透視できなかったのである。念写の実験は、念写すべき文字を前日に通知しておいて、当日は写真乾板を箱に入れて封をせずに提出するのである。前日に文字が通知されているので、例えばその文字を切り抜いた紙型を用意し、暗室内で箱を開いて乾板上にその型を載せ、ちょっと感光させればその文字が「念写」されるはずである。そしてこの実験では念写は成功したのであるが、同時に乾板を入れた箱を誰かが開いたという証拠も両先生だけには分るように歴然と残っていたのである。

ところがここに思わぬ大事件が突発したのである。それはおよそ考えうる万般の注意を払われたにもかかわらず、肝腎(かんじん)の決定的実験の際に、箱の中に乾板を入れ忘れられたのである。それがいろいろのデマの根源となり、その後の実験は拒絶されて、ついに確定的な結論は得られなかった。ただ千里眼というものが、手品あるいは詐欺的要素が十分にはいりうる条件で行われるものであるということが明らかにされただけであった。その後長尾夫人は物理学者の実験を回避する態度をとり、そのうちに同夫人の謎の急死によって、千里眼はけっきょく闇から闇へ葬り去られる運命となったのである。それはいかにも千里眼らしい運命であった。

この話は初めから一種の熱病なのであって、どの実験にも精神状態を乱さないという条件がついている。その精神状態を乱さないための条件というのは、例えば透視では封書の糊(のり)づけをしたり、封印を施したりすることが禁ぜられ、現場で書くときは室と机とが指定され、また持参の実験物はいったん別室の指定の場所に安置して、席をはずす習慣になっているなど、聞いてみれば他愛のない話である。念写も字は先方が指定し、もし実験者の方で指定する場合には前日に通知しておく必要がある。そして乾板を入れたものは封印をせずに、無人の室にしばらく安置するのである。そういう条件は、本来は事件全体が一笑に付さるべき条件なのであるが、問題はそういうわば馬鹿げた話が全国の朝野を風靡（ふうび）したという事実にある。

もともと念写の起りというのが、のんききわまる話なのである。初めに透視の実験で途中で、開封するのではないかという懸念のために、写真乾板の上に物を載せて透視してもらった。もし開封すれば後で現像してみれば感光するから分るというので、これはうまい方法である。ところが実験の結果は乾板は感光していた。そこでこれは大変だ、念力には感光作用もあるらしいということになったのだそうである。実際はもっと紆余（うよ）曲折はあったのであるが、けっきょく筋はそういうことらしい。これでは話にもならない。

こういうふうに書いてみると、そういう明白な事実を解明するのに、どうしてこれだけの騒ぎになったかが一番不思議である。そしていまさらのように、世の中というものは複雑きわまるものであるという感を深くする。しかしそれが社会というものの実相なのである。

長老の物理学者の一人で、前北大予科主事の青葉万六（あおばまんろく）先生から、明治時代の日本物理学界の回顧談をきいたことがある。そのとき先生は、この千里眼事件について、当時の我が国が、いかに挙げてこの事件に狂奔したかを話され、そしていよいよとなったときに頼りになったのは、当時の理科大学の先生たちだけであったと述懐された。そういう事件は案外深刻な影響を後まで残すもので、少し大袈裟にいえば、日本の科学界の一つの危機であった。中村先生の前に引用した文の最後にも、世間の人が信ずべからざることを信じているのは、非常に悲しむべきことである。こういうことを世人が歓迎する根本は、秩序を立てたことをやっているのがまどろしく、いわゆる六ヵ月速成のことを欲するからである。秩序をすて、早く結果を得ることにのみあせると、みなが間違ったことを好むようになると述べられている。しかも恐ろしいことは、この種の病気はある程度以上進行すると、もはや手をつけられないことである。そして難病をその最初期のうちに治してしまった名医は、案外あまり感謝されないものである。

これで千里眼事件も一応晁がついたのであるが、まだ問題はいくらも残っているようにみえる。例えば今度の事件はそれとして、昆虫に千里眼があれば、不思議は同じことであり、いつまた人間にそれが再現するかもしれない、この問題も実はもっと早く解決しているのであって、要するに馬尾蜂に千里眼の能力はないのである。少くともあるという証拠はきわめて微弱で、こういう大問題の前では、問題として提供するまでもないものなのである。それを当時直ちに精細に論じ、敢然として学界の長老に抗議した札幌の農大の一学生があった。その学生は現在の北大の理学部長小熊捍（おぐままもる）博士である。学界の因襲について知識の少い一般の人たちには、こういうことがいかに困難であるかは、ちょっと想像できないのである。こういう感謝されざる名医はほかにもあったことであろう。そしてそのことはめでたく納まったのである。

ところがここで念のために、前にいった生物線のことをちょっとつけ加えておく必要がある。

生物線ということを初めていい出したのは、モスクワ大学のグールウィッチ教授である。同教授は初め玉葱（たまねぎ）の根の細胞の有糸分裂を研究していた。そのとき玉葱の根の先端を横に置くと、その方に向いた側の細胞の分裂が盛んになるといい出したのである。このとき途中にガラス板を置くと作用が消えるが、水晶板を置いてもなくならない。それでガラスには吸収されるが水晶は通る線、ちょうど紫外線のような性質の線が、増殖中の細胞から出て、他の細胞がその線に照射されると分裂が促進されると考えたのである。

グールウィッチはこの線をミトゲン線と名づけ、細胞分裂の際にはこういう今まで全然知らなかった放射線が出ると考えた。我が国ではこのごろこの線を生物線と呼ぶ人が多い。こういう不思議な放射線が実在するものなら、それは生物学界の大問題である。したがって世界中でたくさんの学者がこの線の研究に没頭して、一九三五年まででにすでに五百余りの論文が出ている。

この生物線もまことに不思議な放射線であって、ある学者の実験では出るし、他の学者の研究では出ない。出ない方が実験が下手かもしれないし、出る方がおかしいのかもしれないので、騒ぎはますます大きくなった。

そのうちにバクテリアの増殖の場合にも出ることが分り、また酵母からも放射されるという人も出てきた。こういうふうに研究が進んでくると、化学変化もこの現象に関係があるといい出し、過酸化水素の分解が生物線で促進されるとか、酸とアルカリとの中和でも生物線と同じような放射線が出るとか、いろいろな実験結果が出てきた。その中にはゲールラッハのような世界的な物理学者の名も出てきた。

半信半疑のうちに、この生物線の研究はどんどん進んでいった。そして水晶分光器で生物線の波長を測った結果も出てくるし、また生体の血液からも出るということになった。健康な子供の血液からは盛んに生物線が出る。動物に癌を植えたらその血液からは出なくなったなどという研究がたくさん専門学者の手で発表された。

これだけの研究があったら、もう生物線も確認されたといってよいのであるが、不思議なことには、この線はその性質上当然写真乾板に感光するはずなのに、その実験はいつも否定的に終っている。シューマン乾板という極紫外線用の乾板を、生物線を出しているはずの生体に数カ月露出しても、全然感光しなかったという結果も発表されている。

写真乾板に感光しないのは、暗い所では生物線が出ないのかもしれないし、また写真に感光するには弱すぎるのかもしれない。それで光電作用を利用した計数管というどんな弱い放射線でも感ずる器械を用いて、精密な測定をした物理学者がたくさんあった。その結果もまた面白いことには半信半疑なのである。これに関する一九三五年までに発表された十二の論文のうち、六人の学者はあるといい、六人の学者は嘘だという結果になっている。

その後の最近の研究のことは知らないが、決定的のことはまだいえないようである。生物線は生物から出てもその線自身は物理現象である。ところが物理的には依然として証明されない物理現象が、これほどたくさんの研究の種になっているのである。

生物線が万一何かの間違いならば、これは世界を跨（また）にかけた世紀の千里眼であり、また今にほんとうに確認される日がきたら、生物学界の大異変である。今のところは実証的にはまだ霊力治療者を喜ばせているだけであるが、この方は可能性が全然ないとはいえない。しかしこの方の学問がいくら進歩しても、透視や念写が説明されようとは思われない。

千里眼のあった明治四十二三年ごろは、日本の物理学界では、すでに長岡半太郎博士が原子構造論で世界的に有名であり、化学界では鈴木梅太郎博士がヴィタミンBを発見されていたころである。決して我が国の科学が未開の状態にあったわけではない。千里眼のような事件は、その国の科学の進歩とは無関係に生じうるものである。それは人心の焦躁と無意識的ではあろうが不当な欲求との集積から生まれ出る流行性の熱病である。そしてその防禦には、科学はそしてたいていの学者もまた案外無力なものである。といってもそれは何も科学の価値を損ずるものでもなく、また学者の権威にさわることでもない。それは科学とは場ちがいの問題なのである。ただこういう場合に優れた科学者の人間としての力が、その防圧に役立つことが多いということはいえるであろう。

千里眼に類似の事件は、その後も数回あった。そして今後も起りうる問題である。特に今次大戦下のような緊迫した国情の下では、「一億の熱意のほとばしり出るところ」一つ舵をとりそこねると、どんな大規模な千里眼事件が発展しないとも限らない。そしてそれは為政者の力でも阻止できない場合も起りうるということは、歴史の示す通りである。

この種の事件が、科学技術の総戦力において、特に害毒を流す場合が多いことも十分理解されよう。しかしそういう大切な問題も、その解決ないし予防は案外簡明である。それは各人が中学程度の科学を十分に把握し、そして着実真摯（しんし）な道を歩むのがけっきょく一番の早道であることを忘れなければよいのである。もっともほんとうはそれが一番むつかしいことなのである。

それならばそういう困難な方法によらず、科学者が少し犠牲になって、そういう問題の芽生えがあったら一々摘み取ればよいともいえよう。しかし科学者の方からいえば、そういう「場ちがい」の仕事に煩わされるほどの閑（ひま）はない。第一次欧洲大戦のときに、英国の政府で、英国が世界に誇る大物理学者たちを総動員して、国防科学の素人発明を審査させたことがある。そのとき応募総数十万件のうちで、多少なりの価値を認められたものが三十件にすぎなかったことは、あまりにも有名な話である。三十件でもないよりはよいとはいえないのであって、あの大学者たちの脳力の浪費を計算に入れると、これは一台の戦車を作るのに百台の飛行機を潰（つぶ）すような話である。

X線が発見されるまでは、おそらくほとんど全部の科学者は、不透明物質の内部を写真にとることはできないと思っていたであろう。現在の科学の知識だけで、新しい未知の現象を、実験することなしに否定することはできない。これが千里眼者や山師的発明家の常套の言葉である。まことにその通りである。しかし、それは何もすべてのその種の「発見」または「発明」を、一々科学者が立会実験をするか、または再試してみる必要があるということにはならない。

ゼームスをまつまでもなく「科学は何が存在するかということはいいうるが、何が存在しないかということはいい得ない学問である」ことくらいは、たいていの科学者は十分心得ている。山師的発明家はこの言葉を悪用してよく世人をまどわすことがある。この場合存在するという言葉の意味を吟味しておく必要がある。例えば勢力不滅の法則に抵触するような発明は、未知のものであっても、それはやってみるまでもなく、嘘である。それが嘘であって再試の必要がないということが「存在する」ことなのである。

もっともこういうふうにはいってみるものの、実際には、一番肝腎なときに「それはやってみなくても分っている。嘘である」といいきれる科学者が案外少いことが心細い点なのである。そしてさらに悲しむべきことは、そういうことをいってはならない場合に、平気でそれをいう科学者も相当数ありはしないかという懸念があることである。

(昭和十八年四月)

付記

この千里眼の話を書いたのは、昭和十八年の春のことで、その年の四月号の文藝春秋に載せてもらったものである。昭和十八年の春といえば、大戦第三年目に入り、すでにミッドウェーの敗戦、ガダルカナルの撤退によって、戦況すでに我に不利に傾き、要路の人たちの焦慮がそろそろ見えてきたころである。

そういう時期にこんな暢気（のんき）な話を書くということは、随分妙な話と思われるかもしれない。事実私は読まなかったが、ある雑誌批評で、この千里眼が槍玉（やりだま）に上り、時局をわきまえないとか何とかいうお叱りを受けたそうである。しかし実のところはちょうどそのころ、内閣と海軍と太平洋戦争とを賭にかけた世紀の大千里眼事件が起っていたので、この一文はそれを幾分でも喰（く）い止めるために書いたものである。

その世紀の大千里眼事件というのは、思い出される読者もあるであろうが、いわゆる日本的製鉄法という事件のことである。ある発明家が、砂鉄を畑の中に盛り上げ、その中にアルミニュウムの粉を加え、火をつけると、砂鉄が一遍に純鉄になるという発明をしたのである。砂鉄ならば我が国に無尽蔵にあるので、これは大発明だということになり、それに最初にひっかかったのが、海軍の某廠（しょう）の閣下で材料部長の地位にあった人であった。何でも江戸川の上流の某所とかで、実際にやらしてみたら、立派な鉄ができたというのである。砂鉄とアルミニュウムと混ぜて盛り上げ、その上に土をかぶせて孔をあけ、その孔からある薬液を注ぎ込んで火をつければ、それだけで立派に製錬ができるので、あの膨大な鎔鉱炉などを造るのは全く馬鹿気た話だ、これで今度の戦争に勝てるという傑い御機嫌だという話を、実際にその人に会ってきた友人から聞いた。

これだけ話をきけば、だいたい分ることで、これは立派に千里眼的要素を十分にそなえた話である。その廠の中にも技術者もあることだから、そういう人たちはどうしているのかと聞いてみると、病状は大いにかんばしくない。二三忠言をする人があっても、「理屈などは要らないのだ。要するに鉄ができればよいじゃないか。現にできているのに、学者は何をいらないことを言うのだ」と相手にされないらしい。事実その友人が、その製錬法で作ったという鉄の標本を持ってきたのを見ると、立派な純鉄である。こういう物ができるはずはないのだが、論より証拠で、できてさえくれれば文句はない。

しかし論より証拠というのが曲者で、ほんとうは論を覆しうる証拠などというものは滅多にないのである。そういうとまた、その論というのがけっきょく現在の科学の法則のことであり、現在の科学というのが西洋でできた学問である。「どうも日本の学者はどれもこれも欧米崇拝で困る。日本的科学をやらないで、西洋人の後ばかり追っている。そしてたまに純日本式の製鉄法などを発明する男があると、それにけちをつけ」るということになる。事実この問題に関して、そういうことがたびたびいわれたのである。仕方なく若い真面目な技術者たちは「ああ、あの畑製錬のことか」と相手にしなくなった。そのうちにこの製錬法は一廠の問題だけではなくなり、内閣の方で国策として採り上げそうにまで発展してきた。技術者たちが卑怯といえば、確かにその通りであるが、実際にはこの種の熱病の蔓延は、二人や三人の人間の力で喰い止め得るものではないのである。

この方法で全然鉄ができなければ話は簡単なのであるが、実はできるのである。それはアルミニュウムを使うからであって、アルミニュウムと酸化鉄とを混ぜて火をつけると、非常な高温になり、酸化アルミニュウムと純鉄になることは、昔から知られていることである。よく電車線路の鎔接などにも用いられているので、誰でも見ていることである。

もしこの日本式製鉄法が、単にそれだけのことならば、あまりに他愛ない話である。それならば全く意味がないので、鉄よりも大切なアルミニュウムを鉄の量の十倍くらいも使わねばならないので、前文の「これは一台の戦車を作るのに百台の飛行機を潰すような話」になる。ところが話がだんだん拡がってくるにつれて、今度は「アルミニュウムは初めの一回だけ使えばいいので、第二回からはそのときできたアルミの金滓を使えばいい。それでアルミニュウムはたくさんはいらない」という話になったらしい。そういう勢力不滅の法則に抵触する話が、政府のどのあたりまで受け入れられたかは分らないが、とにかく困ったことになったものである。

そのうちに突如として、この事件が議会で発表されたのである。二月五日の衆議院で、東条首相が堂々とこの新製鉄法を述べ、これで今次の大戦をまかなうべき鉄には不自由しないと演述した。議員はみな喝采した、私たちは唖然とした。ところがさらに驚いたことには、それから十九日経った二月二十四日の新聞は、今度は技術院の発表として、この製鉄法のほかに二つの新しい製鉄法を加えて、その三つを正式に承認し、技術院として大いに援助をして大規模製産に移すという声明が出た。商工大臣は「我が国技術界の最高権威たる技術院総裁の言明に間違いがあるはずはない」と付け加えた。その通りであって、技術院といえば我が国の科学技術の総本山たるべき所である。そこからこういう声明が出るようでは、帝大の博士が千里眼を認めた以上の問題である。

よほど好意に解釈すれば、戦局の前途にすでに暗雲が兆していたので、国民の意気宣揚の目的で、こういう声明をしたとも一応は考えられる。しかしその当時は一般国民はまだ暢気に構えていたころで、何もそういう見えすいた拙策をとる必要もなさそうである。やはり本気で千里眼をかつぎ出したのであろう。こうなると放ってはおかれない。こういう話は景気をつけるだけならよいが、必ず悪い影響があるものである。その発明家が儲ける金や、その実験に使う資材くらいは多寡がしれているが、一番困るのはこの種の病気の蔓延である。真面目に戦時下の工業に精励していた会社へいろいろな新発明の売り込みがくる。それがどれも国難を救うような「大発明」ばかりである。社長や重役はもちろん大乗気で、会社の技術者の忠言は「君たちは西洋科学だけに頼っているから駄目だ。理屈をいっている時ではない」と一蹴されてしまう。事実そういう実例も二三あったのである。

応用化学をやっている友人のH教授が、これは放っておくと大変なことになるというので、時の技術院総裁を訪ねて詳しい説明をして、その不可能なゆえんを説いてくることになった。帰って来たH教授の話では、どうもこの話には何か政治的の陰影があるらしく、承知の上でやっているのか欺されているのかよく分らないということであった。しかし事柄は簡単明瞭なので、よく理解はされたことと思うという話であった。

しかし肝腎な「製鉄事業の拡張」はちっとも停らない。南洋の方で鉱業関係で莫大な金を儲けた実業家と、某官庁の部長の人とがこれに加わって、火の手はあがるばかりである。そのうちに軍の事業として、大規模に製産することになったらしく、既製の大工場を三つ買い上げることになった。某セメント会社の工場とほか二つがその候補に挙げられた。H教授の話では、その三つの工場はどれも、水運がよく電気がやすく理想的な立地条件にある工場で、こういう工場ばかりを狙うところに、案外問題解決の鍵が潜んでいるようだということであった。

買い上げられる会社の方では、これは死活に関する大問題である。その会社の専務とかいう人に会ったときに、この製鉄事件に関した文書の綴りを見せられたが、厚さ三寸ばかりも溜っていたのにはちょっと驚いた。けっきょくその会社の方の猛運動とH教授の努力と、その他各方面からの忠言とによって、最後の場面にいたって、この日本式製鉄法は中止され、千里眼と同じ運命で闇から闇へ無事葬り去られることになった。

すっかり問題が片づいてからH教授に「君の千里眼も大分役に立ったよ」と褒められたので、時局をわきまえないという批評家のお叱りは、十分償われたわけである。

（昭和二十一年十月）

立春の卵

立春の時に卵が立つという話は、近来にない愉快な話であった。

二月六日の各新聞は、写真入りで大々的にこの新発見を報道している。もちろんこれはある意味では、全紙面を割いてもいいくらいの大事件なのである。昔から「コロンブスの卵」という諺があるくらいで、世界的の問題であったのが、この日に解決されたわけである。というよりも、立春の時刻に卵が立つというのがもしほんとうならば、地球の廻転か何かに今まで知られなかった特異の現象が隠されているのか、あるいは何か卵のもつ生命に秘められた神秘的な力によるということになるであろう。それで人類文化史上の一懸案がこれで解決されたというよりも、現代科学に挑戦する一新奇現象が、突如として原子力時代の人類の眼の前に現出してきたことになる。

ところで、事実そういう現象が実在することが立証されたのである。朝日新聞は、中央気象台の予報室で、新鋭な科学者たちが大勢集って、この実験をしている写真をのせている。九つの卵が滑らかな木の机の上にちゃんと立っている写真である。毎日新聞では、日比谷のあるビルで、タイピスト嬢が、タイプライター台の上に、十個の卵を立てている写真をのせている。札幌の新聞にも、裏返しにしたお盆の上に、五つの卵が立っている写真が出ていた。これではこの現象自身は、どうしても否定することはできない。

もっともこの現象は、こういう写真を見せられなくても、簡単に嘘だろうとは片付けられない問題である。というのは、上海ではこの話が今年の立春の二三日前から、大問題になり、今年の立春の機を逸せずこの実験をしてみようと、われもわれもと卵を買い集めたために、一個五十元の卵が一躍六百元にはね上ったそうである。それくらい世の中を騒がした問題であるから、まんざら根も葉もない話でないことは確かである。

朝日新聞の記事によると、この立春に卵が立つ話は、中国の現ニューヨーク総領事張平群氏が、支那の古書『天暨』と『秘密の万華鏡』という本から発見したものだそうである。そして、国民党宣伝部の魏氏が、一九四五年すなわち一昨年の立春に、重慶でUP特派員ランドル記者の面前で、二ダースの卵をわけなく立ててみせたのである。ちょうど硫黄島危しと国内騒然たる時のこととて、日本では卵が立つか立たないかどころの騒ぎでなかったことはもちろんである。さすがにアメリカでもベルリン攻撃を眼前にして、この話はそうセンセーションを起すまでにはいたらなかったらしい。

ところが今年の立春には、ちょうどその魏氏が宣伝部の上海駐在員として在住、ランドル記者も上海にいるので、再びこの実験をやることになった。

ラジオ会社の実況放送、各新聞社の記者、カメラマンのいならぶ前で、三日の深夜に実験が行われた。実験は大成功、ランドル記者が昨夜UP支局の床に立てた卵は、四日の朝になっても倒れずに立っているし、またタイプライターの上にも立った。

四日の英字紙は第一面四段抜きで、この記事をのせ、「ランドル歴史的な実験に成功」と大見出しをかかげている。立春に卵が立つ科学的根拠はわからないが、ランドル記者は「これは魔術でもなく、また卵を強く振ってカラザを切り、黄味を沈下させて立てる方法でもない。ましてやコロンブス流でもない」といっている。「みなさん今年はもう駄目だが、来年の立春におためしになってはいかが。」

こうはっきりと報道されていると、いかに不思議でも信用せざるを得ない。おまけに、この話はあらかじめ米国でも評判になり、ニューヨークでも実験がなされた。ジャン夫人というのが、信頼のおける証人を前にして、三日の午前この実験に成功したのである。

「最初の二つの卵は倒れたが、三つ目はなめらかなマホガニーの卓の上に見事に立った。時刻はちょうど立春のはじまる三日午前十時四十五分であった」そうである。

上海と、ニューヨークと、それに東京と、世界中いたるところで成功している。立春の時刻はもちろん場所によって異るので、グリニッチ標準時では二月三日午後三時四十五分である。それがニューヨークでは三日午前十時四十五分、東京では五日午前零時五十一分にあたるそうである。ところがジャン夫人の実験がそのニューヨーク時刻に成功し、中央気象台では、四日の真夜中から始めて、「用意の卵で午前零時いよいよ実験開始……三十分に七つ、そして九つ、すねていた最後の一つもお時間の零時五十一分になるとピタリ静止した」そうである。こうなると、新聞の記事と写真とを信用する以上、立春の時刻に卵が立つということは、どうしても疑う余地がない。数千年のあいだ、中国の古書に秘められていた偉大なる真理が、今日突如脚光を浴びて、科学の世界に躍り出てきたことになる。

しかし、どう考えてみても、立春の時に卵が立つという現象の科学的説明はできそうもない。立春というのは、支那伝来の二十四季節の一つである。一太陽年を太陽の黄経に従って二十四等分し、その各等分点を、立春、雨水、啓蟄、春分、清明……というふうに名づけたのである。もっと簡単にいえば、太陽の視黄経が三百十五度になった時が、立春であって、年によって、少しずつ異るが、だいたい二月四日ごろにあたる。地球が軌道上のあるその一点にきた時に卵が立つのだったら、卵が三百十五度という数値を知っていることになる。

いかにも不思議であって、そういうことはとうていありえないのである。ところがそれが実際に世界的に立証されたのであるから、話が厄介である。支那伝来ふうにいえば、立春は二十四季節の第一であり、一年の季節の最初の出発点であるから、何か特別の点であって、春さえ立つのだから卵ぐらい立ってもよかろうということになるかもしれない。しかしアメリカの卵はそんなことを知っているわけはなかろう。とにかくこれは大変な事件である。

もちろん日本の科学者たちが、そんなことを承認するはずはない。東大のT博士は「理論的には何の根拠もない茶話だ。よく平面上に卵が立つことをきくが、それは全くの偶然だ」と一笑に付している。実際に実験をした気象台の技師たちも「重心さえうまくとれれば、いつでも立つわけですよ」とあっさり片づけている。しかしその記事の最後に、「立春立卵説を軽くうち消したが、さて真相は……」と記者が書いているところをみると、記者の人にも何か承服しかねる気持が残ったのであろう。何といっても、五日の夜中の実験に立ち会って、零時五十一分に十個の卵がちゃんと立ったのを目(ま)のあたり見ているのだから、それだけの説明では物足りなかったのも無理はない。

　もう少し親切な説明は、毎日新聞に出ていた気象台側の話である。「寒いと中味の密度が濃くなって重心が下るから立つので、何も立春のその時間だけ立つのではない」というのである。それもどうも少しおかしいので、ニューヨークのジャン夫人の居間なんか、きっと夜会服一枚でいいくらいに暖くなっていただろうと考える方が妥当である。もう一つはどこかの大学の学部長か誰かの説明で、卵の内部が流動体であることが一つの理由であろうという意味のことが書いてあった。そして立春の時でなくてもいいはずだということがつけ加えられていた。ラジオの説明は、私はきかなかったが、何でも寒さのために内部がどうとかして安定になったためだというのであったそうである。

　それらの科学者たちの説明は、どれも一般の人たちを承服させていないように思われる。一番肝腎(かんじん)なことは、立春の時にも立つが、そのほかの時にも卵は立つものだよと、はっきり言いきってない点である。それに重心がどうとかするとか、流動性がどうとか、安定云々(うんぬん)とかいうのが、どれもはっきりしていないことである。例えば流動性があればなぜ倒れないかをはっきり説明してない点が困るのである。一番厄介な点は、「みなさん、今年はもう駄目だが、来年の立春にお試しになってはいかが」という点である。しかしそういう言葉におじけてはいけないので、立春と関係があるか否かを決めるのが先決問題なのである。それで今日にでもすぐ試してみることが大切な点である。

実はこの問題の解決はきわめて簡単である。結論をいえば、卵というものは立つものなのである。朝めしの時にあの新聞を読んで、あまり不思議だったので「おい、卵があるかい」ときいてみた。幸い一つだけあるという話で、早速それをもって来させて、食卓の上に立ててみた。うまく重心をとると立ちそうになるが、なかなか立たない。五分ばかりやってみたが、あまり脚の強くない食卓の上では、どうも無理のようである。それに登校前の気ぜわしい時にやるべき実験ではなさそうなので、途中で放り出して、学校へ出かけてしまった。

この日曜日、幸い暇だったので、先日の卵をきいてみると、まだ大事にしまってあるという。今度は落ちついて、畳の上に坐りこんで、毎日使っている花梨の机の上に立ててみると、三四分でちゃんと立たせることができた。紫檀まがいのなめらかな机であるから、少し無理かと思ったが、こんなに簡単に立つものなら、何も問題はないわけである。細君も机の上に立ててみると、これもわけなく立ってしまう。なあんだということになった。

　それにしても、考えてみればあまりにも変な話である。卵というものがいつでも必ず立つものならば、コロンブスにまで抗議をもっていかなければならない始末になる。それでやはりこのごろの寒さが何か作用をしているのかもしれないと思って、細君にその卵を固くゆでてみてくれと頼んだ。

　ゆでた卵が簡単に立ってくれれば、何も問題はない。大いに楽しみにして待っていたら、やがて持ってきたのは、割れた卵である。「子供が湯から上げしなに落したもので」という。大いに腹を立てて、早速買いに行って来いと命令した。細君はだいぶ不服だったらしいが、仕方なく出かけて行った。卵は案外容易に手に入ったらしく、二つ買って帰ってきた。もっとも当人の話では、目星をつけた家を二軒も廻って、子供が病気だから是非分けてくれと嘘をついて、やっと買ってきたという。大切な実験を中絶させたのだから、それくらいのことは仕方がない。

　今度のは大小二つあって、大きい方は尻の形が少し悪いらしく、なかなか立たない。しかし小さい方はすぐ立たせることができた。そこでその方を早速ゆでてもらうことにして、そのあいだに大きい方にとりかかった。なるべく垂直になるように立てて、右手の指で軽く頭をささえ、左手で卵を少しずつ廻転（かいてん）させながら、尻の坐りと机のわずかな傾斜とがうまく折れあうところを探しているうちに、ちゃんと立ってくれた。十分くらいかかったようである。要するに少し根気よくやって、中心をとることさえできれば、たいていの卵は立派に立つものである。

そのあいだにゆで卵の方ができ上った。水に入れないでそのまま持って来させたので、熱いのを我慢しながら中心をとってみた。すると今度も前のように簡単に立てることができた。寒さのための安定云々も、流動性の何とかも、問題は全部あっさり片付いたわけである。念のために殻をとり去って、縦に二つに切ってみた。黄味は真中にちゃんと安坐（あんざ）していた。何の変りもない。黄味の直径三十三ミリ、白味の厚さが上部で六ミリ、底部で七ミリ、重心が下っているなどということもない。要するに、もっともらしい説明は何も要らないので、卵の形は、あれは昔から立つような形なのである。この場合と限らず、実験をしないで、もっともらしいことをいう学者の説明は、たいてい間違っているものと思っていいようである。

物理学の方では、釣合の安定、不安定ということをいう。釣合の位置から少し動かした場合に、旧の位置に戻るような偶力が出てくる場合が、安定なのである。卵が立っているような場合は、よく不安定の釣合といわれる。しかし物理学の定義では、この場合も安定なのであって、ただ安定の範囲が非常に狭いのである。

物が立つのは、重心から垂直に下した仮想線が、底の面積内を通る場合である。底は下の台に接しているので、台から上向きに物体をささえる力が、その物体に働いて、その力と物体に働く重力とが釣合っているのである。ところで日常生活で我々が常識的に使っている安定不安定という言葉には、安定の範囲という要素がはいっている。物体を少し傾けても、重心から下した垂直線が、底面内を通る範囲内では、旧位置に戻るような方向に偶力が働き、物体はもとに戻る。すなわち安定である。ところがその垂直線が底面をはずれると、偶力はますます傾くような方向に働き、物体は自分で倒れてしまう。重心からの垂直線が底面をはずれる時の傾きが大きい時を安定といい、少し傾いてもすぐはずれてしまう場合を不安定といっているが、これは素人風ないい表わし方である。ほんとうは安定の範囲が広い狭いという方が、よいのである。ピサの斜塔がよい例であって、土台が悪かったためにあのように傾斜した形で落ちついたのであるが、あの程度の傾斜では、重心からの垂直線はまだ十分底面内を通っているので、あの形で安定な釣合を保っている。それで少しくらいの地震があっても、倒れることはない。ただあの塔が真直に立っている場合よりも、安定の範囲が狭いだけである。

卵を立てる場合は、この底面積、すなわち卵の殻と台の板との接触している面積が非常に狭い。卵の表面が完全な球面で、板が完全な平面ならば、接触は幾何学的には、ただ一点である。すなわち接触面積はほとんど零といっていい。しかし物理的に考えてみると、卵が立った場合、卵の目方は全部その一点にかかるので、圧力からいうと、大変な大きさになる。圧力というのは、目方をそれが働いている面積で割ったものであるから、卵の目方が五十グラムしかないとしても、面積が零に近かったら、圧力は無限大となる。物体に歪みを生じさせるのは、力ではなくて圧力である。棒で掌を押してみても何でもないが、それと同じ力で針でつけば、つきささるわけである。それで球を平面の上にのせた場合には、平面の接点付近がその圧力のために少し歪み、球の接点付近もまた少し歪む。そしてきわめて小さい円形の面積で球の底と板とが接し、その面積で球の目方をささえるのである。

球と平面との接触面積は、球の半径と目方と物質の弾性とによってきまる。球と平面とが同じ物質で、両方とも完全に幾何学的な形をしている場合には、その接触面積は、理論的に計算できる。それにはヘルツの式というのがあって、すぐ計算ができる。樫の卓の上に立てるとすると、樫のヤング率は1.3×10^{11}くらいである。だいたいの見当をみるのであるから、卵殻の固さも樫と同程度と見ておく。卵の目方を五十グラム、底部を球とみなし、その半径を二センチ半として、接触面積を出してみる。簡単な計算ですぐ分ることであるが、円の直径は 2.2×10^{-2} センチと出る。すなわち直径十分の二ミリくらいの円形部分がひずんで、その面積で卵をささえていることになる。それで卵の重心から下した垂直線が、その面積内を通れば、卵は立つわけである。問題はそういうふうにうまく中心をとる技術だけにかかることになる。要するに根気よく、静かに少しずつ動かして、中心がとれた時にそっと手を放せばよいのであるが、一ミリの十分の一とか二とかいう精密な調整を人間の手ですることは、ちょっとむつかしい。

それで次に考えてみるべきことは、卵の表面の性質である。卵の表面は、完全な球面または楕円面でなく、表面がざらざらしていることは誰でも知っているとおりである。十分の一ミリ程度を論ずる場合には、もちろん、このざらざらが問題になる。表面に小凹凸があると、その凸部の三点あるいは四点で台に接し、それがちょうど五徳の脚のような役目をして卵をささえるはずである。そうすると卵の「底面積」は、相隣る凸部の三点または四点の占める面積になる。理論的には三角形の頂点の三点でよいはずであるが、実際は四角形の四隅の点、あるいはもう少し多い点になるであろう。いずれにしてもこの方は前述の十分の二ミリなどという値よりも、ずっと大きくなりそうである。

教室の昼飯の時に、この話をもち出してみたら、H君が一つ顕微鏡で見てみましょうということになった。H君は人工雪の名手である。顕微鏡の下で雪の結晶を細工するのになれているので、卵の凹凸くらいは物の数でない。さっそく台の上に墨を塗って、その上に卵を立て、卵の尻に黒いマークの点をつけた。そしてそのマークのところで殻を縦に切り、その切口を顕微鏡でのぞいてみた。

まず驚いたことは、卵の表面の凹凸は、きわめて滑らかな波形をしている点であった。ざらざらの原因であるところの凹部と凸部との高さの差すなわち波の高さは、百分の三ミリ程度にすぎず、それに比して凸部間の距離、すなわち波長は、この卵では十分の八ミリくらいもあった。これで問題は非常にはっきりしたのである。五徳の三本脚あるいは四本脚の間隔は、約十分の八ミリであるから、半ミリ程度の精度で中心をうまくとれば、卵は立派に立つわけである。それくらいの精度でよければ、人間の手でも、落ちついて少し根気よくやれば、調整ができるはずである。十分の二ミリではちょっと困るが、この程度ならば大丈夫である。

ところで前にいった、球面と平面とが、弾性的歪みによって接触することは、この凸部と板との接触についてあてはまる。もっとも板の表面の凹凸を考えに入れれば、もう少しむずかしくなるが、そこまで立ち入らなくても話の筋は分る。この場合は、卵の目方は三点または四点でささえられるので、一点のひずみは前の計算よりも少くなる。すなわち卵の表面の凸部と板とが、直径十分の一ミリ以下の円で接し、そういう接点が、十分の八ミリくらいの距離で、三点あるいは四点あって、卵をささえているのである。

そうすると、卵がどれくらい傾いたら、重心線が底の三点の占める面積をはずれるのか、すなわち卵が倒れるかという計算ができる。重心の高さを二センチ半として、それが横に半ミリずれる時の傾きは、約一度である。それでいったん立った卵は、一度くらい傾くまでは安定であって、それ以上傾くと倒れるはずである。事実机の上に卵を立てて、ごく静かに机をゆすぶってみると、卵は眼に見える程度に揺れることが認められるが、それでもなかなか倒れない。もっとも少しひどくゆすぶれば倒れることはもちろんである。眼に認められるくらい揺れるというのが、だいたい一度くらいであろう。これで卵の立つ力学はおしまいである。

こういうふうに説明してみると、卵は立つのが当り前ということになる。少くもコロンブス以前の時代から今日まで、世界中の人間が、間違って卵は立たないものと思っていただけのことである。前にこれは新聞全紙をつぶしてもいい大事件といったのは、このことである。世界中の人間が、何百年という長いあいだ、すぐ眼の前にある現象を見逃していたということが分ったのは、それこそ大発見である。

しかしそれにしても、あまりにことがらが妙である。どうして世界中の人間がそういう誤解に陥っていたか、その点は大いに吟味してみる必要がある。問題はうまく中心をとればというが、角度にして一度以内というのは恐ろしく小さい角度であって、そういう範囲内で卵を垂直に立てることが非常に困難なのである。その程度の精度で卵の傾きを調整するには、十分の一ミリくらいの微細調整が必要である。それを人間の手でやるには、よほど繊細な神経が要ることになる。実は学校へ卵をもって行って、皆の前で立てて、一つ試験をしてみようと思った時は、なかなかうまくいかなかった。夜落ちついて机に向っていて、少し退屈した時などにやれば、わりに簡単に立つのである。

卵を立てるには、静かなところで、振動などのない台を選び、ゆっくり落ちついて、五分や十分くらいはもちろんかけるつもりで、静かに何遍も調整をくり返す必要がある。そういうことは、卵は立たないものという想定の下ではほとんど不可能であり、事実やってみた人もなかったのであろう。そういう意味では、立春に卵が立つという中国の古書の記事には、案外深い意味があることになる。私も新聞に出ていた写真を見なかったら、立てることはできなかったであろう。何百年のあいだ、世界中で卵が立たなかったのは、皆が立たないと思っていたからである。

人間の眼に盲点があることは、誰でも知っている。しかし人類にも盲点があることは、あまり人は知らないようである。卵が立たないと思うくらいの盲点は、大したことではない。しかしこれと同じようなことが、いろいろな方面にありそうである。そして人間の歴史が、そういう瑣細(ささい)な盲点のために著しく左右されるようなこともありそうである。

立春の卵の話は、人類の盲点の存在を示す一例と考えると、なかなか味のある話である。これくらいうまい例というものは、そうざらにあるものではない。ニューヨーク・上海(シャンハイ)・東京間を二三回通信する電報料くらいは使う値打のある話である。

（昭和二十二年二月）

簪を挿した蛇

石川県の西のはずれ、福井県との境近くに大聖寺という町がある。そこに錦城という小学校があって、その学校で私は六年間の小学校生活を卒(お)えた。たしか尋常六年の時に、明治天皇が崩御されたように記憶しているので、私の小学校時代は、明治末期にあたるわけである。

この町は、子爵(ししゃく)の方の前田(まえだ)家の旧城下町であって、そのころの小学校は旧藩主のもとの屋敷をそのまま使ったものであった。それで学校といっても、現在普通に見られるような半洋風の建物ではなかった。もっとも一部は建て増されたもので、二階建の普通の小学校の形になっていたが、雨天体操場の方などは、昔の建物をそのまま使っていたので、今から考えてみれば、随分古風な学校であった。在学中にこの雨天体操場の方も改築されたように憶(おぼ)えているが、印象に残っているのは、妙に改築前の古い体操場の方である。

雨天体操場といっても、旧藩主の大きい邸宅の襖(ふすま)をとりはずしただけのものであったから、中には柱が一ぱい立っていた。大広間と次の間にあたるところが、この体操場の中心部で、その両側に広い廊下があったらしい。柱がずっと一列に立っていた。奥の半分は、小さい部屋がたくさんあったところを、壁と襖をはずしてそのまま使ったらしく、その部分にはたくさんの細い柱がそれこそ林立していた。

この雨天体操場は、式や会の時には講堂となり、休み時間には児童の遊び場であった。実際は雨天体操場などという新しい名前はなくて、私たちは溜り（たま）と呼んでいた。十分の休み時間には、この溜り一ぱい胡麻（ごま）を散らしたように、児童たちが真黒く群って走り廻（まわ）っていた。その中には四十年前の自分もいたわけである。柱がたくさんあるので、陣取りには誂え（あつら）向きであった。五組も十組もの陣取りが、それぞれ好みの柱の群を占領して、縦横に馳け（か）廻るので、呼び声叫び声が、薄暗いこの体操場に一ぱいに満ちあふれていた。

薄暗いといえば、この体操場の奥の半分、柱が林立していたところは、昼でも本など読めないくらい暗かった。その中心部に、何のあとかは考えたこともなかったが、三尺四方の四隅に、四本の柱が立っているところがあった。林立する柱の中で、この四本の柱だけが何となく目に立った。そこは「四本柱」という名前がついていた。何か気味の悪いところで、子供たちの間には、一種の魔所に考えられていたようであった。何年の時か忘れたが、この「四本柱」の床の下には、女の髪の毛が埋められているという風説が流布され、私たちは真面目にそれを信じていた。

明治の末期といっても、北陸の片田舎までは、まだ文明開化の波は押し寄せてきていなかった。たしか六年生のころに、初めて電燈がついたくらいで、徳川時代からずっとおどんでいた空気は、まだこの小さい城下町の上を低くおおっていた。旧藩主は町の一部に、別の御屋敷をもって、一年の半ばはそこに住んでいられた。そして人々はお正月には「殿様のところへ伺候する」習慣をずっと守っていた。

小学校のすぐ後は、小さい山に続いていた。錦城山という山であった。この山には前田家の以前に、山口玄蕃とかいう豪族の城があったそうである。そしてその城が落城する時に、奥方や姫たちが、池に入るか崖からとび降りるかして死んだというような伝説が残っていた。この小高い山は、その当時の子供たちの間には、全く人跡未踏の魔境であった。山は二段になっていて、頂上にはほんとうの城の趾があるという話であったが、そこは怖ろしくて、とても子供たちの行ける場所ではなかった。私などは六年間の小学校生活中に、一度もその城趾までは登らなかった。そこには、簪をさした蛇だの、両頭の蛇だのがいるという噂があった。もちろん一つ一つに落城の伝説がからまっていて、子供たちは誰もそれを疑わなかった。

中腹の小高いところに、ちょっと平らな場所があって、そこには下屋敷が在ったということになっていた。そこまでは一二度行ったことがあるが、欝蒼と茂った暗い森の中に、細い道がたえだえについていたような気がする。そしてその場所に着くと、急に平らないかにも屋敷趾らしい開けた土地があった。開けたといっても、それは亡霊の住む土地である。やっと木の間から盗み見るくらいで、そうそうに逃げ帰って来るのが普通であった。今から考えてみれば、せいぜい二十分くらいの行程のところであったように思われる。しかし子供たちにとっては、その探険には非常な勇気が必要であった。

子供たちはもちろん和服で、みな木綿の袴をはいていた。私の父は当時のハイカラであったらしく、いつか洋服を一着作ってくれたことがあったが、そんなものを着て外を歩くことなどはとてもできなかった。雨の多い土地であったが、傘を持ってくるのはごく少数で、たいていは茣蓙帽子という茣蓙で作った一種のマントを頭からかぶって学校へ通った。雨風の強い日などは、茣蓙を通した雨でびしょ濡れになって学校へ着いた。そしてずらりと並んだ下駄箱に下駄を納め、藁草履にはきかえて、溜りに集った。草履をはかない素足の子供たちもたくさんいた。

先生たちは、一人ずつ交代に宿直することになっていた。可愛がってくれる受持の先生が宿直をされた次の朝は、よく六時ごろに学校へ行って、宿直室で八時の授業開始まで遊んだものであった。若いざん切り頭の先生は、蒲団を隅の方へ押しやって、褐い畳の上で火鉢で御飯をたいていた。そして飯のできるまでといって、将棋を教えてくれたりしたものであった。

ピアノなどというものは、名前も聞いたことがなかったし、理科の実験などももちろん無かった。仏教の盛んな土地だけに、町全体の雰囲気には近代の匂いが全く無く、科学などというものには、およそ無縁の土地であった。子供たちは、大人の読み残した貸本の講談本を盗み読むくらいで、その当時あこがれの的であった『少年世界』や『日本少年』を毎月とっているなどという子供は、級に一人か二人という程度であった。それは遥かなる土地の文明の余光であって、年寄りたちがお説教できいてくる仏教の因果話と地獄極楽の絵とでつちかわれた子供たちの頭には、幻惑的な閃光をもたらすものであった。

そういう中にあって、たしか五年生の時だったかと思うが、珍らしい先生が新しくみえて、その先生が私たちの受持となった。そして理科の時間に、進化論の話と、カント・ラプラスの星雲説とを説明してくれたことがあった。その先生の進化論というのは、少し極端であって、人間からアメーバにさかのぼって、そのアメーバがさらに無機物から出たというのであった。もっともそれは子供心にそういうふうに受け取ってしまったのかもしれないが、とにかくそれは当時の私には驚愕（きょうがく）に近いものであった。

　そしてそれが星雲説になると、さらに展開するのであった。はるかなる昔、まだ太陽も月も地球もなかった時代に、星雲が宇宙の片隅に渦を巻いていた。その渦がだんだんかたまって固体になるというのであるが、そのガス状の星雲の前には、宇宙にはただ力だけが渦を巻いていたという話を聞かしてくれたように憶えている。これも幼いころの夢であったのかもしれないが、私の頭に残った印象は、そのような形のものであった。

　学校から帰ると、よく夕飯前に、奥の暗い六畳の仏壇の間で、老人たちのおまいりの座につかせられた。燈明の光がゆらぐごとに、仏壇の中の仏様の光背が鈍く金色にゆれた。ぼんやりとその光に見入りながら、遠い遠い昔、まだ星雲すらも無かったころの宇宙創成の日を頭の中に描いてみる癖がいつの間にかついた。ほんとうに何物も無い虚空に、眼に見えない力の渦巻があって、その廻る速さがだんだん速くなっていく。するとその中心のあたりからほの白くガス状の物質が生まれてくる。そういう夢と老人の読経の声とがもつれ合って、いつの間にか、生まれたばかりの星雲の姿がぼんやりと眼に見えてくるのであった。

　今の科学精神などという流儀からいえば、とんでもない教育を受けたものである。

生活の中に科学をとり入れるようなことも、全く縁の無い話であった。そして学校では実物を完全に離れた文字だけの理科を教わり、家へ帰っては三国誌と西遊記とに凝っていた。たまさか新しい科学の知識を授けられれば、それは「断片的な科学知識」と「でき上った理論の外面」だけであった。それらは西遊記と仏説寓話とで養われた荒唐な少年の日の夢に、ますます非科学の拍車をかけるような結果に陥ってしまった。科学者にでもなろうというのだったら、典型的な悪い教育を受けたものである。

ところがこのごろになって考えてみると、こういう少年の日の反科学的な教育が、自分のその後の科学にとって、そうひどく邪魔になったとは思われない。そういう天邪鬼な考えをするからいつまで経っても一人前の科学者になれないのだといわれれば、それまでの話である。しかしあの当時に、現在の立派な科学普及書がふんだんに与えられ、文部省御自慢の啓発的とかいう今日の物象の教科書で理科を教わっていても、やはり偉い物理学者にはなれなかっただろうと思う。それよりもおそらく物理学などは専攻していなかったかもしれないという気もする。別に確固たる理由はないが、ただ何となくそういう気がするだけである。しいて理由をつければ、大人があまりやきもきすると、子供は興味を失ってしまうことが多いからである。

星雲の夢が再びよみがえってきたのは、高等学校へはいってからである。ヘッケルの『宇宙の謎』の翻訳が出て、その一元論が我が国の読書界に紹介されたのが、ちょうど私たちが高等学校へ入学したころであった。ヘッケルの進化論というのは、正しく私たちが小学校で聞かされた話を、少し鹿爪らしくしたようなものであった。そしてその最後のところは、物質と勢力との一元論に落ちつくというのであった。別に根拠のある説ではないが、物質不滅の法則と勢力不滅の法則とが自然界を貫く二つの根本原理である、その両者を綜合したような宇宙一元論を心に描いてみるのが科学者の最後の夢である、というふうな議論であったように憶えている。

もう二十五年以上も昔の話であるから、もちろん詳しいことは記憶にない。しかしヘッケルの本の最後の数節は、いろいろな科学的な言葉は使ってあったが、詮じつめたところは、物質と勢力との一致という夢を描いたもののようであった。物質と勢力との転換が、理論的にまた実験的に物理学の問題として確認されたのは、ずっと後のことである。ヘッケルの時代にはもちろんのこと、それを読んだ私たちの高等学校時代のころでも、それは精密科学の立場からみれば、全くの荒唐無稽な空想にすぎなかった。

しかしこの本は、私には少年の日の夢を再び呼び返してくれたという意味で大切な本であった。今読み返してみたら、そういう意味に書いてあったものではないかもしれないが、熱中しやすい高等学校時代の自分の頭に残された印象は、そのようなものであった。もし自分が勝手にそういうふうに解釈して、興奮にほてる頬を輝かしながらこの本を読んだのであったならば、それは少年の日の非科学的教育の影響によったものであろう。物心一如(いちにょ)というような、この荒唐な夢があまりにも明らかに実現され、その原理に従って現実に原子爆弾ができたのである。簪(かんざし)をさした蛇と原子爆弾の原理とが仲よく組み合わされていた幼年の日の夢を、今さらのようになつかしく思いみる次第である。

『宇宙の謎』の思い出には、まだ後(あと)がある。ずっと後になって、大学を出て寺田寅彦先生の助手をつとめていたころ、忘年会か何かで、研究室の若い連中大勢そろって、先生の御馳走(ごちそう)になったことがある。所は忘れたがどこかのビルディングの五階か六階の西洋料理店であった。食後パーラーで先生の話をきいているうちに、ウェーゲナーの大陸移動説の話が出た。先生はこの説には前から深く興味をもたれ、ウェーゲナーの有力な同情者であった。

「ウェーゲナーの説には、いろいろ反対もあるが、あの本は面白い本だよ。とにかく大陸が移動するということはたいへんなことなんだから、反対のあるのも当然だ。しかしその反対はどうも細い点が多くて、考えようによっては、どうにでも説明できることが多いようだ。ウェーゲナーの本の中に科学者は木を見て森を見ないと書いてあったが、実にうまいことをいったものだ。大いにその傾きがあるからね。ところでその木を見て森を見ないというのは、誰かの文句らしいので、引用マーク(クオーテーション)がついているんだが」という話であった。

「それはヘッケルの『宇宙の謎』の序文にある言葉で、科学者は木を見て森を見ない、哲学者は森の絵を見て満足しているというのの前半でしょう」といったら「たいへんなことを知ってるね」と褒められた。

生物は細胞からなり、細胞は蛋白質(たんぱくしつ)から成る。蛋白質以外のほかのものももちろんあるが、いずれにしてもそれらは全部分子から成り、分子は原子から、またその原子は核と電子とからできている。もしこういうことが分ったとしたら、生命の神秘が消え失(う)せてしまうように考えるのは誤謬(ごびゅう)である。寺田先生の言葉を借りれば、それは「生命の不思議を細胞から原子に移したというだけで生命の不思議は少しも変りはない」のである。

人間には二つの型があって、生命の機械論が実証された時代がもしきたと仮定して、それで生命の神秘が消えたと思う人と、物質の神秘が増したと考える人とがある。そして科学の仕上仕事は前者の人によってもできるであろうが、ほんとうに新しい科学の分野を拓く人は後者の型ではなかろうか。科学知識の普及も結構ではあるが、原子や分子を日常茶飯事のごとく口にするだけでは無意味である。それは得るところが何もなくて、反対に物質の神秘に対する驚異の念を薄くするような悪影響だけが残るおそれが十分ある。

以上の話は、戦前の日本の科学についてもいえることであるが、終戦後の科学再建については、いっそう大切なことのように自分には思われる。戦前の悪夢時代には、科学というものは、意識的な場合も無意識的な場合もあろうが、けっきょくは外国に負けないような飛行機を作るとか、重工業を進歩させるとかいうふうな工業技術の基礎として、一般に考えられていた。そういう意味での科学ならば、いわゆる科学普及でも結構であろう。あまり得な方法ではないが、どうにか外国の進歩にくっついていくことも、努力さえすれば可能である。そして現にそれはある程度まで可能であったのである。

しかし今日では事情は一変した。以前のような意味での科学は、影が薄くなったわけである。国防の問題は無くなったが、民生的な近代機械文明を建設する意味で科学技術は必要である。しかしその基礎としての科学というだけでは、非常に影の薄いものであることは事実である。終戦後の日本の科学振興とか科学再建とかいうものが、何を意味しているかは、誰に聞いてみてもよく分らないようである。私自身にも分らない。むしろこの際科学など止めてしまった方がよいのではないかとも考えられるが、政府の方で科学再建を唱えられる以上、それに協力しないわけにもゆかない。しかし同じ協力をするのならば、意味のある協力をしたいものである。

ところで今後の日本において、意味のある科学を振興させようと思えば、本来の姿においての科学を進歩させるべきであろう。科学が戦争の役に立つのは事実であるが、それは科学の本然の姿ではない。科学は自然と人間との純粋な交渉であって、本来平和的なものであるからである。そういう意味での科学は、自然に対する驚異の念と愛情の感じとから出発すると考えるのが妥当であろう。

こういうふうに考えてみると、今後は私たちが受けたような非科学的な教育ももっと必要になるのではなかろうか。反語的な言い方になるが、科学精神の涵養もあまり型にはまってくると、こういう逆説的な言葉もある場合には必要になってくるように思われる。少くも刺身に対する山葵くらいの役をするのではなかろうか。

碧の湖の岸に建っている白い塔の中に、金髪の王女が百年の眠りを眠っている。少年の日にその姿を現実の形に見ることのできた人が、案外科学上の新分野を開拓して、新しい日本の存在意義を世界に示すようなことになるかもしれない。どうも私には、子供の時から眼覚時計を直すことが好きだったり、機関車の型を皆覚えたりする子供よりも、その逆の型の方が有望なように感ぜられる。子供のころに正則な科学教育を受けられなかった田舎者のひがみかもしれないが、そういう気がするのだから仕方がない。

それではかりに以上のような奇矯の説が、一面の真理を含んでいるとしたら、実際に科学教育をどうするかという問題が出てくる。大人があまりやきもきしないで放っておくというのも一法であるが、それでは少し乱暴である。それにせっかく当局の方でいろいろ苦心をして、理科を物象に変えたり、小学校を国民学校に変えたりしていられるのに、その苦心を全然無にしてはよくない。事柄を教えてはいけない、考え方を啓発しなければならないというのも結構である。絵やグラフを見せて「以上のことから何が分るか」というような問題を出すのも悪くはない。少くも先生はどういう答を期待しているだろうかと子供たちに興味を持たせる点で、十分頭の訓練になる。それで現在の教育法はそのまま是認すればよいので、その上に子供たちに夢をもたせればよいことになる。少くも荒唐無稽な夢をみることをあまり阻止しなければよいであろう。迷信や怪異譚(たん)なども、実害のない限りは、何も禁止する必要はないと思われる。

簪をさした蛇などはなはだ結構である。

本の方は、近年面白くてためになるというい本がたくさん出てきたようである。そういうバターと蜂蜜とをねったような本がたくさんあって、それらを自由に読むことができれば、子供たちはたいへん仕合わせである。しかしあまり栄養物ばかり食べさせておくと、芯が弱くなるおそれがありはしないかという気もする。たまには面白くてためにならない本も読ませた方が良さそうである。少くも自分の経験からいえば、少年の日のなつかしい印象として残るものは、面白くてためにならない本に熱中して頰をほてらせていた思い出ばかりである。それはなつかしいというだけで、何の役にも立っていないだろうといわれれば、あるいはそうかもしれない。しかし四十年の間自分の頭の奥にずっと存在を続けていた記憶が、その後の自分の科学に、なんらかの影響を与えていないはずはない。そしてその影響は必ずしも悪い方とばかりはいえないような気がする。

このごろ今度の大戦争で科学はB29や原子爆弾やD・D・Tのような偉大なる発明を産んだというような記事をちょいちょい見受ける。しかし私は少くもそれほど馬鹿なことはいわないつもりである。原子爆弾は近代人類のギリシャ以来の物質の概念を変更した大発明であって、鳥の先生や除虫菊の親玉と比較すべきものではない。そういうことを混同する人は、ものの価値判断のできない人であって、科学知識の問題ではない。そしていやしくも物を書くほどの人が、そういう間違いをするという責の一半は、いわゆる科学普及にありはしないかという気がする。その点では、思い切った非科学的教育を受けた自分などは仕合わせであったわけである。

眼には見えない星雲の渦巻く虚空と、簪（かんざし）をさした蛇とは、私にとっては自分の科学の母胎である。人には笑われるかもしれないが、自分だけでは、何時までもそっと胸に抱いておくつもりである。

（昭和二十一年十月）

解説

佐倉統

その小さな建物は、日本海にほど近い、北陸の温泉郷の湖畔にある。

中谷宇吉郎・雪の科学館。

中谷宇吉郎の北海道大学での実験室を再現し、彼がどのような研究をおこなっていたかを、淡々としかし深く展示している、とても優れた科学館だ。磯崎新の設計した建築は、広々とした気持ちの良い公園になっている周囲の景観を乱さないように、遠慮がちにとすら思えるようなたたずまいを醸し出す。

夏の家族旅行でここを訪れたのはもうだいぶ前のことになる。当時まだ小さかった子供たちは、前日に寄った福井県立恐竜博物館ではあんなにおもしろそうにしていたのに、この雪の科学館ではものの五分もすると飽きてしまい、妻の手を引いて早々に外に出てしまった。ひとり館内に残ったぼくは、ゆっくりと、ひとつひとつの展示を味わうように見て回る。中谷の研究が、細部まで丁寧に説明されている。さまざまな姿形をした雪の結晶の写真は、芸術的にも美しい。どの展示も、噛めば噛むほど味の出るような、すばらしいものばかりだ。

復元された実験室には、雪の結晶を人工的に合成するのに使った実験器具が展示されている。これらの器具が、実物だったのか複製だったのか、今となっては記憶の外である。本書に収められた《雪を作る話》や《雪雑記》で描写されている、雪合成の実験だ。なかなか思うようにいかないときに、ウサギの毛を核にして雪の結晶をきれいに作ることが出来たというエピソードは、たぶん、この科学館の展示で知ったように思う。

中谷宇吉郎は、どのような気持ちでこれらの、今から見ればとても素朴でシンプルな実験器具を操作していたのだろうか。低温下での実験が身体に堪えたことは、これらのエッセイにも書かれている。彼が使っていた机、椅子。そこに座っていた中谷の、頭の中はどのように動いていたのか。

まだまだあれこれ、想像に耽っていたい。だが、いくら周囲は公園とはいえ、子供たちはいい加減待ちくたびれてしびれを切らしているだろう。ぼくは、後ろ髪を引かれる思いで外に出る。

ここを一度訪れて、短時間、実験室のたたずまいに触れただけで、中谷宇吉郎に近づけたように思ってしまうのは、不遜との誹りを免れまい。だが、来館者をそう錯覚させるだけの不思議な温かさが、この科学館にはある。それは、中谷宇吉郎の人となりや、雪の科学館を現在運営しているスタッフのみなさんの思いや、いろいろな要素が作用してのことだろう。そして同じような温かさが、本書に収められたエッセイからも感じられる。不思議な懐かしさを覚えて、雪の科学館のことを思い出した所以である。

雪の科学館がある石川県加賀市は、中谷宇吉郎の生まれ故郷（当時は片山津町）だ。このエッセイ集でも《真夏の日本海》や《御殿の生活》が、自身の生まれ育った美しい風景を懐かしみ、彼の地のお殿様（のちに東京に移って華族となる）の家との一風変わった交流を回想していて、生まれ故郷の風土や風習が彼の身体の一部となっていることがよくわかる。

その人の幼少期の環境が、長じての自然科学者の業績にどのような影響を与えるのか、確たることはわからないけれども、少なくとも、研究対象である自然を見る目が変わってくるのはたしかだろう。

その点で、中谷が後年病気療養のために過ごした伊豆での魚をめぐる雑感をつらつらと書いた《雑魚図譜》は、故郷とは質の異なる自然に接した彼の戸惑いが散りばめられていて興味深い。なにせ、伊豆の魚は故郷日本海の魚とは異なるとして、「雑魚」と呼んでしまう。それではいけないと発憤して雑魚の名前を調べ、得意の絵筆を握って絵画にするのだが、彼が雑魚たちに敬意も畏怖の念もいだいていないことは明らかだ。自身のそのような心持ちを認めたくないから、さも楽しんでいるようにあれこれ試みるが、結局話題は二転三転して教育論にまで行き、最後は自分の脳細胞が「雑魚の細胞で置き換えられたのではないかと少々不安にもなる」（二〇四ページ）と締めくくる。やはり、中谷の心象風景と身体感覚の原点は、故郷の片山津にあって、それを上書きすることはどうやってもできないようだ。《ツンドラへの旅》でも《永久凍土地帯》でも、旅行で行った先の特徴は、常に故郷との偏差で認識される。

そう考えると、《北海道の夏》を語る中谷の文体が、これらとは明らかに異なるのが目を引く。中谷は北海道が好きだった。馴染んでいた。雪国の故郷と、なにかしら共通するところを見出し得たのだろうか。

冒頭エッセイで語られる《九谷焼》への——しつこいぐらいの——偏愛も、幼いころから空気のようにこの焼き物を見てきた中谷にとっては、ごく自然の感覚の発露なのだろう。

これもうずいぶん前のことなので時効だから書くが、ある試験で国語の問題の出題委員を務めたことがある。まずは委員全員で候補となる文章を持ち寄り、それをああだこうだと皆で検討して最終的にどれを出題するかを決めていくのだが、そこにぼくは中谷宇吉郎の文章を提案した。九谷焼について述べた、本書のエッセイとは別の文章である。科学的な内容を硬質の文体で述べる彼の読み物は、現代の大学生に必要な読解力の測定に最適だと思ったからだ。残念ながら採用はされなかった。それはまあいいのだが、ぼくがびっくりしたのはその時の、不採用の理由である。委員長から、今は生命科学もあって科学の見方も当時とは違って新しくなっていますから、と言われたのだ。つまり、中谷宇吉郎の科学観は古い、と。

この時ほど文系と理系の壁の厚さを感じたことはない。そもそも、文系・理系など と分けること自体無意味だといつも言っている身としては、壁なんてない、あっても どんどん壊していけると信じているのだが、そんな信念がいかに世間知らずの甘っち ょろい見方だったかを思い知らされた。そりゃあ中谷宇吉郎が活躍したのはもうずい ぶん昔のことだが、その科学観は師の寺田寅彦とならんで時代超越的に新しく、むし ろ現在の生命科学や複雑系の科学にも通ずるものがあるではないか。そこを読み取っ てもらえないのか。たしかにその文章で中谷が語っていたのは生命科学ではなく物理 学についてではある。しかし、焼き物を見る人の美的感覚やひび割れの複雑さを物理 学的にどう扱うかがテーマであり、今の時代に望まれる科学にこそ通ずる問題意識だ ったはずなのだが。物理学という名前だけで「過去のもの」とレッテルを貼ってしまわれるとは。

しかし、今回改めて中谷宇吉郎のエッセイをまとめて読んで思ったのは、中谷の意外な「古さ」だった。「古さ」というと語弊があるかもしれないが、同じくエッセイの名手だった寺田寅彦と比べると、もっと普通に科学を語っているように思える。たとえば《墨色》では、墨という格好の素材を対象にしておきながら、複雑系の科学や日常性の科学に話が発展するわけでもなく、知人のN氏による墨の科学的考察を素材にして、墨の性質がいかに複雑で一筋縄でいかないかが手際よく、しかし古典的に語られていく。最終的には「墨色の秘密は急には分りそうもない」（一一四ページ）と、いわばお手上げ状態が宣言される。

寺田寅彦なら、この複雑さ自体をもう少し楽しむエッセイを書いただろう。物理学で解決できないのは同じだが、良く言えばもっと柔軟に、悪く言えばのらりくらりと複雑な対象の性質を楽しむような文章が寺田の持ち味だ。

どちらが良いか悪いかという話ではない。今の基準からすれば、中谷宇吉郎の方が科学的に正当で厳密だ。寺田には肩透かしのようなところがある。朝永振一郎だったかが、寺田寅彦は物理学者としては評価できないという趣旨のことを言っていたような気がするが、中谷についてはそのような評価にはならないはずだ。「物理学者」として見たら中谷宇吉郎の方が研究業績ははるかに優れたものがある。

この、中谷宇吉郎のある種の真っ直ぐさは、物理学、すなわち科学への全幅の信頼でもある。九谷焼の複雑さを縷々述べた後で、しかし、「科学の重要な所はそこにあるのだ、薬を精密なバランスで秤って、いろいろの組合せをつくっておいて、そのそれぞれをいろいろの温度といろいろの時間で焼いて見て、高温計と時計とで、精確な記録をとっておけば、「アフリカの砂漠にその記録を落としておいて、フランス人が拾って」焼いて見ても立派な結晶焼ができるはずです」（一七ページ）と、あっけらかんと言い放ってしまうのである。

この、科学的方法への全幅の信頼は、当然のことだが疑似科学への鋭い批判へとつながる。本書でいえば《千里眼その他》と《立春の卵》が典型的だ。日本全国で話題になり東大の心理学助教授まで巻き込んだ前者はさておき、後者は「立春の日には卵が立つ」という、一見非科学的な言説のプチ流行を実験によって反論したものだ。ここまでムキになるのかとおもしろくもあり、中谷の科学的精神に感服もする。ひょっとして今の時代に彼がいれば、疑似科学やエセ科学を鋭く批判する急先鋒になっていたかもしれない。

中谷はこの後一九五〇年代前半に、アメリカ軍から助成金をもらって雪氷の研究を行おうとする。これが軍事研究ではないかと批判を呼び、北大の実験施設が使えなくなるという騒動が持ち上がった。軍事研究とはなにかを考える際の、戦後日本でのひとつの典型的な事例なのだが、この出来事も、中谷のある種の真っ直ぐさが、基礎研究なのだから軍からお金をもらっていても軍事研究であるはずがないという思考を下支えしていたから生じたように思う。

中谷のこのような見方は、複雑さ——「ねじれ」というべきか——を増した現在の科学技術と社会の関係においては、おそらく通用しないだろう。だが、それをもって中谷宇吉郎は時代遅れだというのは早急に過ぎる。複雑になってしまったがゆえにぼくたちからは見えない、科学と社会の関係の硬質な核のような部分を、中谷の慧眼が射抜いていることがしばしばあるからだ。

素朴でシンプルであるがゆえに、耳を傾けるべき内容がより多く含まれているのは、決して稀なことではない。素朴でシンプルな中谷宇吉郎・雪の科学館が、味わうべき情報を満載していることと、それは通じている。

（東京大学大学院情報学環・教授／
理化学研究所革新知能統合研究センター・チームリーダー）

編集付記

一、本書は、一九七七年に学生社から刊行された『雪と人生』を底本とした。

一、明らかに誤りと思われる箇所については、『中谷宇吉郎随筆選集』（朝日新聞社）、『中谷宇吉郎集』（岩波書店）などを校合のうえ適宜修正した。

一、小社基準に則り、難読と思われる語や地名・人名には、改めて現代仮名遣いによる振り仮名を付し直した。

雪と人生

中谷宇吉郎

令和3年 12月25日　初版発行
令和6年 12月5日　再版発行

発行者●山下直久

発行●株式会社KADOKAWA
〒102-8177　東京都千代田区富士見2-13-3
電話　0570-002-301（ナビダイヤル）

角川文庫 22976

印刷所●株式会社KADOKAWA
製本所●株式会社KADOKAWA

表紙画●和田三造

Printed in Japan
ISBN 978-4-04-400689-1　C0195

◆◆◆